BAŚNIE

Hans Christian Andersen

BAŚNIE

Hans Christian Andersen

Ilustrowała Małgorzata Goździewicz

WYDAWNICTWO ZIELONA SOWA

Przekład:
Franciszek Mirandola
Cecylia Niewiadomska (*Calineczka*)

Redakcja:
Sylwia Burdek

Projekt okładki:
Małgorzata Goździewicz

Projekt graficzny okładki i DTP:
Michalina Bajor

ISBN 978-83-265-0386-3

Wydawnictwo Zielona Sowa Sp. z o.o.
00-807 Warszawa. Al. Jerozolimskie 96
tel. 22 576 25 50, fax 22 576 25 51
www.zielonasowa.pl
wydawnictwo@zielonasowa.pl

Brzydkie kaczątko

Prześlicznie było na wsi. Lato gorące, pogodne, żółte zboże na polach, owies jeszcze zielony, na łąkach stogi pachnącego siana. Bociany przechadzały się powoli na wysokich, czerwonych nogach, klekocąc po egipsku, bo takim językiem nauczyły się mówić od matek. Dokoła wielkie lasy, cieniste, szumiące, a w nich głębokie i ciche jeziora. Prześlicznie, cudownie było na wsi.

Jasne słońce oświetlało stary dwór na pochyłości wzgórza, otoczony murem i szeroką wstęgą wolno płynącej wody. Z muru zwieszały się pnące rośliny, a liście łopianu schylały się aż do wody. I było pod nimi cicho i ciemno jak w cienistym lesie.

Pod jednym z takich liści młoda kaczka usłała sobie gniazdo i siedziała na jajach. Nudziło się jej bardzo, bo żadna z sąsiadek nie miała chęci w tak piękną pogodę rozmawiać z nią o tym, co słychać na świecie. Każda wolała pływać po przejrzystej wodzie, pluskać się i schnąć na ciepłym słoneczku, a ona tylko jedna jak przykuta siedzi w cieniu na gnieździe.

Skończyło się wreszcie jej udręczenie, jajka zaczęły pękać i co chwila wysuwała się z innej skorupki główka pisklęcia, oznajmiając cienkim głosikiem, że żyje.

– Pip, pip! – wołały wszystkie.

– Kwa, kwa! – odpowiadała im poważnie matka, a maleństwa zaczęły naśladować jej głos, opowiadając sobie, co widzą dokoła, i rozglądając się na wszystkie strony.

Matka pozwalała mówić i patrzeć, ile im się podoba, bo kolor zielony jest bardzo zdrowy dla oczu.

– Ach, jaki ten świat duży! – wołały kaczęta, dobywając się z cienkiej skorupy i prostując z przyjemnością nóżki i skrzydełka.

– Nie myślcie, że z tego gniazda widać cały świat – rzekła matka. – Ho, ho! Ciągnie się on ogromnie daleko, jeszcze za tym ogrodem, za łąką proboszcza, het, het! Ale nigdy tam nie byłam.

– Czyście już wszystkie wyszły ze skorupek? – dodała, wstając. – Jeszcze nie! Największe ani myśli pęknąć. Ciekawam bardzo, jak długo będę tu na nim pokutowała. Przyznam się, że mam już tego zupełnie dosyć.

I usiadła z gniewem na upartym jajku.

– A cóż tam słychać u was, kochana sąsiadko? – spytała stara kaczka, która wybrała się wreszcie w odwiedziny do młodej matki.

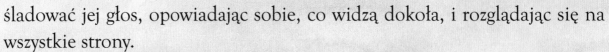

– Z jednym jajkiem mam kłopot: ani myśli pęknąć. A taka jestem zmęczona!

Inne dzieci ślicznie się wykluły, zdrowe, żwawe, żółciutkie, aż przyjemnie patrzeć. Ładniejszych kacząt w życiu nie widziałam.

– Pokaż mi to jajko, które nie chce pęknąć – rzekła sąsiadka. – Ho, ho! Takie duże. To indycze jajko. Znam się na tym, bo mi się niegdyś zdarzyło wysiedzieć takie. Nie ma z tego pociechy; wody się obawia, pływać nie umie. Namęczyłam się i namartwiłam nad nim. Wszystko na próżno; niczego nauczyć go nie można. Pokaż no jeszcze to jajko. Tak, tak, to indycze. Zostaw je i zajmij się lepiej swoimi. Czas puścić dzieciaki na wodę.

– Nie – odparła kaczka. – Posiedzę jeszcze; tak długo siedziałam, wytrwam parę dni dłużej.

– Jak chcesz, moja kochana!

I kaczka siedziała cierpliwie, aż pękło i wielkie jajo.

– Pip, pip! – odezwało się pisklę i prędko zaczęło wydostawać się ze skorupki. Było bardzo duże i brzydkie. Kaczka patrzyła na nie z ciekawością i uwagą.

– Ogromne pisklę – rzekła wreszcie – i niepodobne do żadnego z moich. Czyżby to rzeczywiście było indycze jajko? No, przekonamy się o tym: musi iść do wody, choćbym je miała wciągnąć za łeb własnym dziobem.

Nazajutrz była prześliczna pogoda. Gładka powierzchnia wody błyszczała jak lustro i prawie że zapraszała do pływania. Kaczka z całą rodziną wybrała się do kąpieli i na dalszą wycieczkę. Plusk!... i skoczyła w wodę. – Kwa, kwa! – zawołała i dzieci zaczęły skakać za nią jedno po drugim. Na chwilę kryły się w wodzie z łebkami, lecz zaraz wypływały, poruszały zgrabnie i szybko nóżkami i radziły sobie tak dobrze, że przyjemnie było patrzeć.

Brzydkie kaczątko pływało razem z innymi.

„To nie indycze – rzekła do siebie kaczka. – Umie pływać, i jak jeszcze! Może najlepiej ze wszystkich. Jak prosto się trzyma, a jak doskonale przebiera nogami. To moje własne dziecko. Nie jest ono nawet takie brzydkie, jeśli się dobrze przypatrzyć, tylko za duże trochę, no, bardzo duże".

– Kwa, kwa! – odezwała się znowu głośno. – Za mną, dzieci! Muszę was wprowadzić w świat, przedstawić na kaczym dworze, tylko trzymajcie się blisko mnie, żeby was kto nie zadeptał; a najbardziej strzeżcie się kota.

Przepłynąwszy kawałek, kaczki wyszły znów na ląd i dostały się na kacze podwórko. Hałas tu był niesłychany, gdyż dwie rodziny kłóciły się zapamiętale

7

o główkę węgorza, którą tymczasem w zamieszaniu kot rozbójnik pochwycił.

– Tak to bywa na świecie – rzekła kaczka i wytarła dziób o piasek, bo sama miała apetyt na główkę.

– A teraz naprzód! Równo poruszać nogami, a tej starszej kaczce ukłońcie się grzecznie, tak, głową, to bardzo znakomita osoba, jest Hiszpanką i dlatego taka tłusta. Widzicie na jej nodze ten czerwony znaczek? To największe od-znaczenie, jakie kaczkę spotkać może u ludzi: oznacza ono, że nie wolno jej wyrządzić żadnej krzywdy, więc ją wszyscy szanują. No, dalej, nogi rozstawiać szeroko, nie do środka, kaczka dobrze wychowana powinna umieć chodzić. Patrzcie zresztą na mnie. A teraz ukłońcie się i powiedzcie: kwa! kwa!

Kaczątka wypełniały rozkaz matki. Inne kaczki otoczyły je dokoła i przy-patrywały się nowym przybyszom.

– Jeszcze nas widać mało! – rzekła wreszcie jedna. – Niedługo miejsca zabraknie. Ach, pfe! A cóż to znowu? Patrzcie tylko, patrzcie, jak to kaczę wygląda! Nie mogę znieść widoku takiego brzydactwa. Podbiegła do brzyd-kiego kaczęcia i ze złością uszczypnęła je z całej siły w szyję.

– Daj mu spokój! – zawołała gniewnie matka. – Przecież nikomu nic złe-go nie robi.

– Ale jest takie wielkie i takie dziwaczne, że nie można na nie patrzeć. Po co takie stworzenie między nami? Każdy ma prawo dać mu poznać, co o nim myśli.

– Ładne masz dzieci – rzekła starsza kaczka z czerwonym strzępkiem na nodze. – Można ci powinszować. Tylko to duże jakoś ci się nie udało. Czy nie można by go trochę przerobić?

– Zdaje się, że nie można, proszę jaśnie pani! – odrzekła kaczka skromnie. – Nie jest ono ładne, ale posłuszne, dobre i doskonale pływa. Mam nadzieję, że wyrośnie z tej brzydoty i będzie z czasem mniejsze. Za długo siedziało w jajku i dlatego takie niezgrabne.

Dziobnęła je po szyi, wyprostowała piórka, przygładziła. Niewiele to jednak pomogło.

– To kaczor – rzekła wreszcie – więc da sobie radę, zwłaszcza że będzie silny.

– Inne dzieci bardzo ładne, bardzo ładne.

No, możecie już iść. Czujcie się tu jak u siebie, moje małe. A jeśli wam się zdarzy znaleźć główkę węgorza, możecie mi ją przynieść. I kaczęta czuły się jak u siebie w domu.

Tylko jedno brzydkie kaczę popychano, szczypano, odpędzano, a znęcały się nad nim nie tylko kaczki, ale nawet i kury. „Za duże jest" - powtarzali wszyscy bez wyjątku, a stary indyk, który przyszedł na świat z ostrogami i wyobrażał sobie, że jest królem, nastroszył wszystkie pióra niby żagle, poczerwieniał na szyi i głowie aż po oczy i patrzył na nie z groźnym oburzeniem. Biedne kaczątko samo nie wiedziało, czy ma przed nim uciekać, czy zostać na miejscu. Było mu bardzo smutno, że jest takie brzydkie, lecz cóż na to poradzi?

Tak upłynął pierwszy dzień, a następne były jeszcze gorsze. Brzydkie kaczątko zewsząd odpędzano, nawet własne rodzeństwo stroniło od niego i życzyło mu nieraz, żeby je kot porwał. Matka zaczęła wstydzić się go także. „Idźże sobie ode mnie - powtarzała coraz częściej. - Czego się przy mnie plączesz?".

Kaczki je biły, kury dziobały, nawet dziewczyna, która ptactwu dawała jeść, odtrącała je nogą. Uciekło wreszcie i przedostało się przez płot na drugą stronę, w krzaki. Gdy upadło na ziemię, przestraszone ptaki podfrunęły i uciekły.

„To dlatego, że jestem takie brzydkie" - pomyślało kaczątko i zamknęło oczy, aby nic nie widzieć przez jedną chwilę. Lecz skoro odpoczęło, zerwało się znowu i biegło dalej, dalej, aż do wielkiego błota, gdzie mieszkały dzikie kaczki. Tutaj spędziło noc.

Nazajutrz dzikie kaczki zaczęły mu się przypatrywać.

- Coś ty za jedno? - pytały zdziwione. A kaczątko kłaniało się na wszystkie strony, jak umiało i mogło. - Jesteś potwornie brzydkie - rzekły dzikie kaczki - ale cóż nam do tego? Bylebyś nie zechciało żenić się w naszej rodzinie, nic nam do twej urody.

Rozumie się, że biedne pisklę nie myślało o małżeństwie. Chodziło mu tylko o to, aby się mogło przespać w gęstej trzcinie i napić wody z błota. Tego mu nie broniły dzikie kaczki. Przebywało dni parę w tym cichym ukryciu.

Razu pewnego z sąsiedniego stawu przyleciały dwa gąsiory, jeszcze bardzo młode, gdyż niedawno wykluły się z jajek, ale właśnie dlatego dość zarozumiałe. Popatrzyły na kaczątko ciekawie, a jeden odezwał się:

– Jesteś taki brzydki, kochany kolego, że nie potrzebujemy obawiać się ciebie, więc jeśli zechcesz, możesz lecieć z nami na nasze błota. Tam dopiero życie! Nie brak i młodych, ślicznych, białych gąsek. A wszystkie wesołe, rozmowne, jak pięknie śpiewać umieją! Mój drogi, zakochasz się z pewnością i choć jesteś taki brzydki, kto wie, czy się której nie spodobasz.

– A ja myślę… – zaczął drugi.

Wtem – pif, paf! i obaj dorodni młodzieńcy padli nieżywi w błoto, które się zaczerwieniło od krwi rozlanej.

– Pif, paf! – rozległo się znowu. – Pif, paf! – i całe stado dzikich gęsi uniosło się w powietrzu ponad trzciną. Ale teraz dopiero zaczęła się strzelanina. Było to wielkie polowanie: strzelcy otoczyli błoto, niektórzy nawet siedzieli na drzewach rosnących na wybrzeżu. Smugi dymu rozciągały się nad wodą i zasłaniały wszystko. Plusk, plusk, i psy myśliwskie zaczęły przebiegać wśród trzciny, chwytając nieszczęśliwych zbiegów. Okropny dzień! Biedne kaczątko odwróciło głowę, aby z wielkiego strachu schować ją pod skrzydło, ale w tej chwili ujrzało przed sobą paszczę z wiszącym językiem i złe oczy, niby dwa ognie. Pies rzucił się na kaczątko, zęby mu błysnęły, wtem – plusk, plusk: poszedł sobie w inną stronę.

– O, dzięki Bogu, że jestem takie brzydkie! – zawołało kaczątko. – Pies mnie nawet tknąć nie chciał.

I zamknąwszy oczy, leżało cichutko, przytulone do trzciny, pośród huku wystrzałów, duszącego dymu i świszczącego śrutu, który śmierć roznosił. Późno uciszyło się na krwawym stawie, lecz wystraszone kaczątko jeszcze przez kilka godzin nie śmiało ruszyć się z miejsca. Na koniec cisza je uspokoiła, podniosło głowę, otworzyło oczy, a nie widząc nikogo, zaczęło uciekać, ile mu sił starczyło, dalej, dalej, dalej!

W drodze zaskoczyła je okropna burza. Pioruny biły, deszcz lał się strumieniami, a wicher miotał biednym pisklęciem jak listkiem. Nigdy w życiu nic podobnego nie widziało i zdawało mu się, że to koniec świata. Co począć? Gdzie się schronić?

Wieczór już zapadł. Brzydkie kaczątko padało ze znużenia, kiedy ujrzało wreszcie małą chatkę. Była ona tak stara, pochylona, iż dlatego tylko stała, że nie wiedziała, w którą stronę się przewrócić. Kaczątko przytuliło się do ściany chatki, ale wiatr uderzał z taką gwałtownością, iż wydawało się, że lada chwila je zabije.

Więc ma tu zginąć?

Wtem spostrzegło, że drzwi chaty ledwo wisiały na zawiasach, skutkiem czego pod spodem utworzyła się szpara, przez którą można było wsunąć się do środka. Uczyniło to spiesznie, choć z niemałym trudem.

W chatce mieszkała stara kobiecina z kotem i kurą. Kot umiał mruczeć, wyginać grzbiet w pałąk, a nawet sypać iskry trzaskające, lecz na to trzeba było pod włos go pogłaskać. Staruszka go kochała i nazywała wnukiem. Kochała też kurę, bo znosiła jajka, a że miała nogi nadzwyczaj krótkie, staruszka przezywała ją swoją córką Krótkonóżką.

Z rana zauważono zaraz obecność kaczątka i kura zagdakała, a kot zaczął mruczeć.

– Co to jest? – rzekła stara, patrząc na nowego gościa.

Wzrok miała bardzo słaby, więc wydało jej się, że to jest duża kaczka, która się przybłąkała podczas burzy.

– A to szczęśliwie! – rzekła. – Będziemy mieli teraz i kacze jaja. Żeby to tylko nie był kaczor. Ha, trzeba się przekonać, poczekajmy.

Minęły trzy tygodnie, a kaczych jaj nie ma. Staruszka już przestała się ich spodziewać. Kot był w tej chatce panem, kura panią i oni tu rządzili. „My i świat" – mówili, co miało oznaczać, że się uważają za coś lepszego od całego świata. Kaczątko było innego zdania, lecz kura się rozgniewała.

– Umiesz znosić jajka? – rzekła.

– Nie.

– No, to się nie odzywaj, z łaski swojej.

– Umiesz mruczeć, grzbiet wyginać, iskry sypać? – zapytał kot z kolei.

– Nie.

– No, to siedź cicho, kiedy mówią rozumniejsi od ciebie.

I kaczątko usiadło w kącie, smutne i zawstydzone.

Wtem przez otwarte drzwi wpadła smuga światła, wiatr przyniósł zapach wody, trzciny, tataraku i kaczątko opanowała taka chęć pływania, że zwierzyło się z tego kurze.

– A to co? – rzekła kura. – Nic nie robisz i dlatego ci takie głupstwa przychodzą do głowy. Znoś jajka albo mrucz sobie, a zaraz wywietrzeją ci fantazje.

– Kiedy to tak przyjemnie – zapewniało kaczątko – zanurzyć się, wypływać, pluskać w czystej wodzie, a potem skryć się głęboko i widzieć, jak woda zamyka się nad głową.

– O tak, to wielka rozkosz! – zaśmiała się kura. – Co za niemądre pomysły? Zapytaj kota – przecież mądrzejszego stworzenia nie ma na świecie – zapytaj, czy lubi pływać albo zanurzać się w wodzie. O sobie już nie mówię, ale możesz spytać naszej pani. Żyje tak długo na świecie i jest bardzo rozumna. Nie znam rozumniejszej od niej. Więc zapytaj, czy to przyjemnie zanurzyć

się z głową w wodzie i czy ma
ochotę pływać.

– Nie rozumiecie mnie – rzekło kaczątko.

– My ciebie nie rozumiemy? Dopraw-
dy? Więc któż cię może zrozumieć? Czy sobie
nie wyobrażasz czasem, ty głuptasie, że jesteś
mądrzejszy od kota albo od naszej pani? O sobie
już nie mówię. Nie bądź tak zarozumiały, moje dziecko,
dziękuj Bogu za te dobrodziejstwa, które ci tu wyświadczono.
Mieszkasz w ciepłej izbie i masz towarzystwo, w którym mógłbyś skorzy-
stać bardzo wiele. Ale na to trzeba słuchać i rozważać, a nie bajać bez sensu.
Powiem ci otwarcie, że niezbyt przyjemnie żyć z tobą pod jednym dachem.
Możesz mi wierzyć. Zresztą mówię ci o tym przez życzliwość. Przyjaciel ma
obowiązek mówić prawdę w oczy, chociażby była przykra. Radzę ci też szczerze: naucz się znosić jajka albo mruczeć, albo sypać iskry. Inaczej nic z ciebie
nie będzie.

– Chyba pójdę sobie w świat – rzekło kaczątko.

– Otwarta droga, nikt cię nie zatrzymuje!

I poszło sobie kaczątko. Pływało po wodzie, pluskało, zanurzało się głęboko,
ale zawsze było samo – inne pływające ptaki unikały go z powodu brzydoty.

Tymczasem nastała jesień. Liście na drzewach pożółkły, ściemniały
i zaczęły opadać; wiatr kręcił nimi w powietrzu i niósł gdzieś daleko, aby
znowu porzucić. Powietrze stawało się chłodne, wilgotne, ciężkie, chmury
przesuwały się nisko po niebie, niosąc deszcze i śniegi, zasłaniając słońce.
Wrony krakały z zimna. Dreszcz przebiega na samą myśl o takiej pogodzie!
I brzydkiemu kaczątku było coraz gorzej. Chłodno, głodno i nikogo, kto by
polubił je szczerze. Bo takie brzydkie! A nie tylko brzydkie, lecz takie duże
i takie odmienne od wszystkich ptaków. Do nikogo, do nikogo niepodobne.
A każdy szuka podobnych do siebie.

Razu jednego pływało po wodzie. Słońce chyliło się ku zachodowi, niebo
było czerwone niby w ogniu. Wtem spoza lasu podniosło się stado wielkich, wspaniałych ptaków. Podobnie pięknych kaczątko nie widziało dotąd:
leciały niby chmurki śnieżnobiałe, spokojnie, wdzięcznie i majestatycznie.

14

Były to odlatujące łabędzie. Nagle wydały ton długi, przeciągły, taki dziwny! Poruszały spokojnie silnymi skrzydłami i wzniosły się wysoko aż pod chmury, i płynęły tak dalej, dalej w nieskończoność... Łabędzie opuszczały chłodny kraj przed zimą i spieszyły za słońcem, tam gdzie ono świeci jasno i ciepło, gdzie błękitne wody nie zamarzają nigdy. Kaczątko patrzyło za nimi z zachwytem, z uczuciem nieopisanej tęsknoty, a gdy znikły, wydało okrzyk silny i przenikliwy, aż samo się przestraszyło swego głosu.

I zaczęło się kręcić w kółko, jak szalone, wyciągając szyję i podnosząc krótkie, niezgrabne skrzydła. O, co za męka! Nigdy nie zapomni tych wspaniałych ptaków – a nigdy ich więcej nie ujrzy! Zniknęły, zniknęły! Z rozpaczy zanurzyło się do samego dna, a kiedy wypłynęło znowu na powierzchnię, nie wiedziało, co się z nim dzieje. Ptaki, królewskie ptaki, piękne ptaki! Nie wiedziało, jak się nazywają ani dokąd lecą, a jednak pragnęło złączyć się z nimi i lecieć razem, daleko i wysoko!... Było to śmieszne i głupie pragnienie, bo jakim prawem ono, takie brzydkie, które się cieszyć powinno, gdy kaczki chcą z nim przestawać... Ale tamte ptaki!...

Nadeszła zima surowa i mroźna. Zamarzły wody. Na małym kawałku, który został wolny, musiało kaczątko pływać bezustannie, aby nie pozwolić mu zamarznąć. Mimo to wolna przestrzeń zmniejszała się po każdej nocy. Bo co dzień było zimniej, mróz się wzmagał, lód trzaskał dokoła na maleńkim otworze, który pozostał jeszcze. Kaczątko bez odpoczynku poruszać musiało nóżkami, żeby nie przymarznąć. Lecz i to nie pomogło; zmęczone ustało, a wówczas lód uwięził je jak w kleszczach.

Zobaczył to nazajutrz z rana jakiś wieśniak, rozbił lód butem o drewnianej podeszwie, a ptaka zabrał do chaty. Kaczątko w cieple przyszło do siebie i dzieci zaraz chciały się z nim bawić; ale ono myślało, że mu chcą zrobić co złego, i zaczęło uciekać; przewróciło garnek z mlekiem i rozlało je na podłogę. Gospodyni z rozpaczy ręce załamała, chciała złapać szkodnika, aby go ukarać. Przestraszone kaczątko wpadło w kubeł z wodą, a potem w naczynie z mąką, wytarło się o sadze w okopconym piecu. Gospodyni krzyczała

i goniła za nim, dzieci ze śmiechem przewracały się jedno przez drugie, kaczątko skakało po półkach, po garnkach, podfruwało aż do pułapu, wreszcie przez otwarte drzwi wypadło do sieni, a stamtąd na dwór.

Można sobie wyobrazić, jak wyglądało. Umączone, mokre, pobrudzone sadzami, o nastroszonych piórach, a przy tym padające ze znużenia. Lecz nie myślało o tym; ostatnim wysiłkiem dostało się pomiędzy krzaki, rosnące niedaleko, i jak nieżywe upadło na śnieg.

Za smutno byłoby opisywać wam to wszystko, co nieszczęśliwe kaczątko wycierpiało podczas mroźnej i długiej zimy. Głód, chłód, ani ciepłego schronienia, ani żywności, ani przyjaciela...

Leżało pośród trzciny, kiedy słońce zaczęło jaśniej i cieplej przyświecać. Zanuciły skowronki, powracała wiosna. I kaczątko odżyło; z każdym dniem powracały mu stracone siły, aż rozpostarło skrzydła jakieś wielkie, jakby nie swoje, zaszumiało nimi i poleciało wysoko, daleko, prowadzone jakąś tęsknotą nieznaną do świata, do wszystkiego, co na nim jest piękne.

I nie spoczęło aż na wielkim stawie, w dużym ogrodzie, gdzie ptaki śpiewały wesoło, drzewa jaśniały świeżą zielonością, biała czeremcha rozlewała zapach i zwieszała tak nisko swe cienkie gałązki, iż zanurzały się w wodzie przejrzystej.

Ślicznie tu było. Każda trawka, kwiatek, każdy listek na drzewie zdawał się śpiewać radośnie: „Wiosna powraca. Wiosna! Wiosna! Wiosna!". Wtem spoza gęstych krzaków naprzeciwko wypłynęły trzy wielkie, wspaniałe łabędzie. Rozpostarły białe skrzydła niby żagle i płynęły lekko po błękitnej wodzie, z szyją wygiętą wdzięcznie i wzniesioną głową, spokojne, dumne i majestatyczne.

Na ten widok dziwny smutek i tęsknota ogarnęły biedne kaczątko. Oto królewskie ptaki, które raz widziało i ukochało tak od razu, tak mocno.

„Popłynę do nich – pomyślało nagle. – Niech mnie zabiją za moje zuchwalstwo, za to, że śmiem zbliżyć się do nich... Niech mnie zabiją. Wszystko mi jedno. Lepiej być zabitym przez te cudne ptaki, które kochać muszę, niż szarpanym przez kaczki, dziobanym przez kury, potrącanym i odpychanym przez wszystkie zwierzęta i ludzi. O lepiej, lepiej umrzeć!".

I popłynęło naprzeciw łabędziom, które, ujrzawszy przybysza, zaszumiały skrzydłami i skierowały się prosto ku niemu.

– Zabijcie mnie! – zawołało brzydkie kaczątko i pochyliło głowę, oczekując śmierci.

Ale cóż to? Cóż widzi w zwierciadlanej fali? Wszakże to jego obraz! Jego własny! Jego!

To już nie brudnoszare, brzydkie i niezgrabne kaczątko, to łabędź biały! Kaczątko stało się łabędziem!

Chociaż się urodziło pomiędzy kaczkami, lecz z łabędziego jaja, więc i ono także łabędziem się stało.

W tej jednej chwili zapomniało nagle o nędzy, o cierpieniach; czuło się tylko niezmiernie szczęśliwe i po raz pierwszy radośnie witało piękny świat, życie i braci łabędzie, które pływały wokoło, oglądając towarzysza i pieszczotliwie głaszcząc go dziobami.

Kilkoro dzieci wbiegło do ogrodu i zaczęło z brzegu rzucać do wody bułki i smaczne ziarenka. Wtem jeden chłopczyk zawołał:

– Nowy łabędź nam przybył! Nowy łabędź!

Inne dzieci zaczęły klaskać w ręce i skakać, powtarzając:

– Łabędź nam przybył! Łabędź! Jaki śliczny! Najpiękniejszy! Najpiękniejszy!

I rzucały do wody ciastka i bułkę, sprowadziły rodziców i wszyscy przyznali, że nowy łabędź był najpiękniejszy ze wszystkich. Stare łabędzie pokłoniły mu się z dobrocią i uznaniem. Wtedy zawstydzony i wzruszony, ukrył głowę pod skrzydłem, nie wiedząc, co począć. Czuł się tak bardzo, tak bardzo szczęśliwy! Myślał o tym, jak niedawno i jak długo cierpiał z powodu swojej brzydoty, jak nie miał nikogo, kto by chciał być jego bratem, przyjacielem, a teraz – bratem jest królewskich ptaków, jak one piękny, może najpiękniejszy! Świat cały zdaje się śpiewać pochwały jego piękności, czeremcha przesyła mu słodki zapach, słońce – promienie złote, woda go pieści dotknięciem i przyjaźnie odbija jego obraz.

O, jak wspaniałe jest życie!

Rozpostarł skrzydła, które zaszumiały głośno, podniósł do góry szyję wdzięcznym ruchem i z głębi serca zawołał radośnie:

– Nie marzyłem o takim szczęściu! Nie marzyłem!

Calineczka

Pewna kobieta bardzo pragnęła mieć maleńkie dziecko, ale nie wiedziała, skąd by je wziąć. Poszła więc do czarownicy i rzekła:

- Tak bym chciała mieć malutkie dziecko. Powiedz mi, co mam zrobić, by je mieć.

- O! to nietrudno - odpowiedziała czarownica. - Mogę ci doskonale poradzić. Masz tu ziarnko jęczmienia - ale to nie jest takie zwyczajne ziarnko, które sieją w polu, albo sypią kurom na pokarm; zasadź je starannie w doniczce od kwiatków, a zobaczysz, co z tego będzie.

- Dziękuję - rzekła poczciwa kobieta i zapłaciła jędzy dziesięć groszy, bo tyle to ziarnko kosztowało.

Po powrocie do domu, zasadziła je starannie w doniczce od kwiatów i zaraz pokazała się mała roślinka, która okryła się pięknymi listkami, a w środku wyrósł jakiś kwiat złotopurpurowy, podobny do tulipana, tylko zamknięty jak pączek.

- Cóż to za prześliczny kwiat! - rzekła kobieta i tak była zachwycona, że całowała złote i czerwone płatki.

W tej samej chwili jednak kwiat z wielkim łoskotem otworzył się i w środku, na zielonym dnie kielicha, gdzie zwykle mieści się słupek kwiatowy, stała prześliczna mała dziewczynka.

Nazwali ją Calineczką, gdyż była maleńka, jak młoda pszczółka, miała nie więcej niż cal wysokości.

Kobieta wzięła zaraz łupinkę orzecha, żeby w niej urządzić kolebkę dla swego dzieciątka; fiołkowe płatki posłużyły za materacyk, a jeden płatek róży – za kołderkę.

W nocy Calineczka spała wybornie, a w dzień bawiła się na stole. Dobra kobieta postawiła na nim talerz z wodą, otoczony wiankiem kwiatów, których łodyżki były w niej zanurzone. Listek tulipana zastępował łódkę, dwa pręciki kwiatowe stanowiły wiosła i Calineczka pływała sobie po talerzu od jednego brzegu do drugiego. Ślicznie to wyglądało!

Umiała też śpiewać i to tak ładnie, że nie można tego opisać. Pewnego razu w nocy, kiedy Calineczka spała spokojnie w kołysce na stole, przez wybitą szybę wskoczyła do pokoju ropucha. Szkaradne to było stworzenie: ciężkie, grube, mokre i... bardzo ciekawe. Zaraz spostrzegła Calineczkę, śpiącą pod różanym płatkiem.

– Hm, hm! – mruknęła. – Bardzo ładna żona dla mojego synka!

I razem z kołyską zabrała dziecinę, wyskoczyła do ogrodu i zaniosła ją do swego mieszkania.

Znajdowało się ono w czarnym, gęstym błocie nad strumieniem. Syn ropuchy był jeszcze brzydszy od matki, chociaż bardzo do niej podobny.

– Koak, koak, brekke-ke-keks! – tylko tyle umiał powiedzieć, gdy ujrzał Calineczkę.

– Nie mów tak głośno – szepnęła mu matka. – Obudzisz ją i może nam uciec, bo jest lekka jak puszek łabędzi. Trzeba ją przenieść na liść wodnej lilii, aż na środek strumyka. Tam będzie jak na wyspie, a tymczasem przygotuję dla was mieszkanie w głębi błota.

Po powierzchni strumienia pływały zielone, okrągłe liście wodnych lilii. Ropucha wybrała największy, który zarazem leżał najdalej od brzegu, i na nim umieściła łupinę orzecha ze śpiącą Calineczką.

Kiedy dziewczynka zbudziła się rano i zobaczyła, gdzie jest, zaczęła płakać. Wkoło była woda głęboka, ani sposób dostać się z listka do brzegu.

A ropucha urządzała tymczasem w głębi błota mieszkanie dla młodej pary. Przyozdobiła ciemną i szkaradną jamkę trzciną i wodnymi roślinami, żeby się synowej podobała, potem popłynęła wraz z synem do listka, aby przenieść kolebkę panny młodej. Ujrzawszy Calineczkę, ukłoniła się jej w wodzie bardzo głęboko i rzekła chrapliwym głosem:

– Oto mój syn, mościa panno; zamierza ożenić się z tobą i właśnie urządzamy wam wspaniałe mieszkanie w głębi błota.

– Kok, koak, brekke-ke-keks – powiedział syn ropuchy.

Zabrali piękną kołyseczkę i odpłynęli, a Calineczka usiadła na liściu i bardzo płakała, bo nie chciała mieszkać u brzydkiej ropuchy i być żoną jej syna. Małe rybki, co pływały w wodzie koło listka, słyszały całą rozmowę ropuchy, a teraz przykro im było słuchać płaczu dziecka. Więc wychyliły główki nad powierzchnię wody, aby zobaczyć młodą narzeczoną, ale na widok prześlicznej dziewczynki, tak im się jej żal zrobiło, że postanowiły ją obronić.

– Nie bój się – powiedziały – nie dostanie cię brzydka ropucha.

Zebrały się wszystkie razem dookoła łodyżki, na której trzymał się listek i przegryzły go ostrymi ząbkami. Listek popłynął z prądem strumyka daleko i ropucha już go dogonić nie mogła.

Calineczka cieszyła się bardzo z tej podróży. Wszystko bawiło ją niezmiernie: mijała wsie i miasta, łąki, pola, lasy, a ptaki na gałązkach przyglądały się jej i śpiewały wesoło:

– Patrzcie, patrzcie, jaka prześliczna dziewczynka! A jaka malusieńka!

Calineczka uśmiechała się do nich nawzajem, ale listek płynął dalej, aż do innego kraju.

Prześliczny biały motyl usiadł na listku lilii, aby się lepiej przyjrzeć maleńkiej dziewczynce. Słońce świeciło pięknie, woda błyszczała jak srebro, wszystko się jej podobało. Zdjęła swój pasek i przywiązała nim motylka do listeczka. Teraz popłynęła jeszcze prędzej.

Wtem – och, jak się przelękła! Chrabąszcz ogromny porwał ją z listka i uniósł het, wysoko na drzewo. Najbardziej żal jej było pięknego motyla, którego przywiązała do listeczka: jeśli się nie urwie, umrze chyba z głodu.

Ale niedobry chrabąszcz nie troszczył się o to. Posadził ją wysoko na wygodnym liściu, przyniósł jej miodu z kwiatów i powiedział, że jest bardzo, bardzo ładna, chociaż niepodobna wcale do chrabąszcza. Wkrótce zaczęły schodzić się inne chrabąszcze mieszkające w pobliżu, aby zobaczyć Calineczkę. Gospodarz sadzał gości na najpiękniejszych liściach.

– Ach, jakaż ona biedna – ma tylko dwie nogi! – zawołała jedna młoda chrabąszczówna.

– A rożków wcale nie ma – dorzuciła druga.

– A jaka cienka w pasie! Fe, podobna do człowieka!

– Szkaradna! — zadecydowały wszystkie razem.

Naprawdę Calineczka była bardzo ładna i taka się wydała chrabąszczowi, który porwał ją z listka lilii. Ale gdy wszyscy zaczęli ją ganić, uwierzył też, że jest brzydka i już chciał się jej pozbyć. Odniósł ją więc na łąkę i posadził na polnym kwiatku, żeby tylko nie mieć jej w domu i żeby sąsiedzi nie śmiali się z jego gustu. Calineczka płakała bardzo, że jest aż tak brzydka, iż chrabąszcz nawet nie chce patrzeć na nią. Ale cóż miała robić? Przecież tak naprawdę była bardzo ładna.

Całe lato mała dziewczynka przeżyła sama jedna w wielkim lesie. Z trawy uplotła sobie wygodne łóżeczko i zawiesiła je pod listkiem koniczyny dla ochrony przed deszczem. Żywiła się sokiem kwiatów, a piła rosę, która stała co rano na trawie, liściach i kwiatach.

Tak upłynęły jej lato i jesień. Ale nadeszła zima, długa, mroźna zima. Wesołe ptaszki odleciały do ciepłych krajów, kwiaty powiędły, drzewa stały nagie, ogołocone z liści, nawet listek koniczyny, pod którym uczepiła swe łóżeczko, zwiądł, skurczył się i opadł. Zimno jej też było strasznie, bo sukienki zupełnie się jej podarły, a sama była taka maleńka i drobna. Zamarznie chyba.

Wkrótce i śnieg zaczął padać, a każdy płatek znaczył dla niej tyle, co dla nas pełna taczka, bo przecież była tylko Calineczką. Otuliła się w suchy listek, ale ten pękł zaraz i znowu drżała z zimna.

Tuż koło lasu rozciągało się pole rozległe, niegdyś zbożem okryte; zboże zżęto już dawno i spod śniegu wyglądały tylko nagie, suche źdźbła twardej słomy. Dla takiego maleństwa stanowiły one las prawdziwy. Dziewczynka przesuwała się pomiędzy nimi, drżąc z zimna i potykając się o grudki ziemi, lub zapadając w śnieg, niewiele grubszy od kożuszka na śmietance. W końcu doszła do mieszkania bogatej myszy polnej, która miała tu, pod ziemią, swoją norkę. Ciepło tam było i bardzo wygodnie: izba obszerna, kuchnia i spiżarnia pełna zboża. Calineczka stanęła w drzwiach i cieniutkim głosikiem poprosiła o ziarnko żyta lub jęczmienia, gdyż od dwóch dni nic nie jadła.

– Biedne stworzenie – rzekła myszka litościwie. Chodźże do ciepłej izby, zjemy razem podwieczorek.

Maleńka dziewczynka podobała się jej bardzo, toteż powiedziała do niej przed wieczorem:

– Możesz zostać u mnie przez zimę, tylko musisz mi za to utrzymywać porządek i czystość w mieszkaniu, a w chwilach wolnych opowiadać ciekawe historie, które niezmiernie lubię. Calineczka naturalnie zgodziła się z największą chęcią i tym sposobem miała zapewnione schronienie przez całą zimę.

– Będziemy miały dzisiaj odwiedziny – rzekła mysz pewnego dnia.

– Co tydzień odwiedza mnie bogaty sąsiad. Ho, ho, to pan! Mieszkanie ma

większe ode mnie. Co za salony! A chodzi w aksamitnym futrze. Gdyby się z tobą ożenił, byłabyś dobrze zabezpieczona, moja droga. Tylko że ślepy jest, nic nie widzi. Musisz mu opowiedzieć najpiękniejszą ze swoich bajek.

Calineczka nie troszczyła się jednak o to, czy się spodoba sąsiadowi, który był zwyczajnym kretem. Zjawił się wkrótce w swoim aksamitnym futrze, a mysz polna przyjęła go bardzo uprzejmie. Był niezmiernie bogaty i bardzo uczony; mieszkanie miał ogromne, dwadzieścia razy większe od norki myszy polnej i mógł mówić o wszystkim. Nie lubił tylko słońca i kwiatów, których nie widział nigdy; złe miał o nich zdanie.

Calineczka śpiewała piosenkę o chrabąszczu, a potem o chłopczyku, który grał na fujarce i kret się w niej zakochał. Nie mógł zapomnieć jej głosu i myślał, jak to byłoby przyjemnie mieć żonę, która by mu tak śpiewała. Ale nic o tym wszystkim nie powiedział, gdyż był bardzo przezorny. Niedawno zbudował sobie właśnie nowy korytarz od swojego domu do mieszkania myszy i pozwolił obu damom spacerować po nim do woli. Ostrzegał tylko, żeby się nie przestraszyły martwego ptaka, który leży na środku. Musiał niedawno umrzeć, bo jest jeszcze cały, z dziobem, z piórkami. I pochowano go w tym samym miejscu, gdzie kret przekopał swój korytarz.

Zapragnął nawet pokazać to wszystko gościnnej gospodyni i miłej śpiewacz-
ce, wziął więc w pyszczek kawałek spróchniałego drzewa i szedł naprzód,
oświecając im posępną drogę. Kiedy doszli do miejsca, gdzie leżał martwy
ptak, kret podniósł nos w górę i odrzucił ziemię. Przez otwór, który powstał
tym sposobem, wpadł blady promyk słońca i oświetlił leżącą na ziemi jaskółkę. Biedactwo przytuliło do boków skrzydełka, nóżki skurczyło i schowało
w piórka, główkę przechyliło gdzieś na bok, że nawet widać jej prawie nie
było, i leżało sztywne, bez życia. Widocznie mróz ją zabił. Calineczce okropnie żal się zrobiło ptaszyny. Wszystkie ptaszki lubiła bardzo za to, że w lecie
tak ślicznie śpiewają. Ale kret był innego zdania.

– Teraz już śpiewać nie będzie – rzekł, trącając ją nogą pogardliwie. – Nę-
dza to straszna urodzić się ptakiem. Dzięki Bogu, z moich dzieci żadne nim
nie będzie. Cóż posiada takie stworzenie oprócz swego „kiwit!" bez wartości? Przyjdzie zima i z głodu umiera.

– Bardzo rozsądne słowa – potwierdziła mysz poważnie. – I cóż ptakowi
z tego śpiewu i świergotu, kiedy nadejdzie zima? Marznie i głód cierpi. To
nic wesołego.

28

Calineczka nie wyrzekła ani słowa, ale kiedy tamci się odwrócili, pochyliła się nad jaskółką, odgarnęła piórka i ucałowała ją w zamknięte oczy.

– Może to ona w lecie tak ślicznie śpiewała nad moim listkiem koniczyny? – pomyślała sobie w duszy. – I tyle jej zawdzięczam przyjemności! Biedna, biedna ptaszyna!

Kret tymczasem zatkał znowu otwór ziemią i odprowadził damy do mieszkania. Ale w nocy Calineczka wcale nie mogła zasnąć. Ciągle myślała o nieżywym ptaszku, jakby czuł jeszcze zimno. Podniosła się na koniec, uplotła cichutko ciepły dywanik z siana, wymknęła się na korytarz i okryła nim jaskółkę. Przyniosła jeszcze potem suche kwiatki, które znalazła w norce, i podesłała je z boków ptaszkowi, aby mu było cieplej i wygodniej.

– Żegnam cię, piękny ptaszku! – rzekła ze łzami w oczach. – Dziękuję ci za wszystkie prześliczne piosenki, których słuchałam w lecie, kiedy drzewa były zielone, a kochane słonko tak jasno i ciepło świeciło. Och, żegnam cię!

I z płaczem przytuliła główkę do martwego ciałka zmarzniętej jaskółki. A w tej samej chwili podniosła się przestraszona: ptaszek żył jeszcze! Uczuła leciutkie bicie jego serca. Skostniał widać i zdrętwiał od chłodu, a teraz pod

wpływem ciepła przychodził do siebie.

Gdy w jesieni jaskółki odlatują do ciepłych krajów, zdarza się, iż niektóre słabsze lub zbyt młode nie mogą lecieć bo, nie mają sił. Zostają więc, ale padają od chłodu zesztywniałe na ziemię, śnieg je okrywa i umierają. Calineczka drżała ze wzruszenia i strachu. Co ona pocznie teraz z takim wielkim ptakiem! Jak mu pomoże? A ratować go trzeba! Nabrała jednak niedługo odwagi.

– Co tylko mogę, zrobię dla niej – rzekła. – Podzielę się tym wszystkim, co dostałam od litościwej myszy. Ach, żebym tylko mogła ją ocalić!

Pobiegła znów do norki i przyniosła cały pęk suchych kwiatków, miękkich niby wata, otuliła ptaszynę, jak mogła najlepiej, i przykryła ją liściem miętowym, który jej samej dotąd służył za kołderkę.

Następnej nocy wymknęła się znowu. Jaskółka już ożyła, ale była jeszcze bardzo osłabiona. Z trudem otworzyła na chwilkę powieki i spojrzała na Calineczkę, która stała z kawałkiem spróchniałego drzewa, bo nie miała innej latarki.

– Dziękuję ci, śliczne dziecię – rzekła słabym głosem. – Tak się tutaj ogrzałam! Wkrótce powrócą mi siły i wylecę znowu tam, gdzie świeci jasne, ciepłe słonko.

– Och! – szepnęła Calineczka. – Nie ma teraz słonka jasnego! Zimno na świecie, śnieg okropny pada, nikt tam wyżyć nie może. Zostań więc lepiej w tym ciepłym łóżeczku, a ja pielęgnować cię będę, ile mi tylko sił stanie.

Przyniosła jaskółce wody na suchym listeczku, ptaszek się napił i opowiedział jej, jak to się stało, że z innymi do ciepłych krajów nie odleciał. Skrzydełko miał zranione o cierń ostry, więc latać dobrze nie mógł. Potem przyszło zimno, nie mógł znaleźć pożywienia i upadł zmęczony na ziemię. A co się dalej stało, nie pamiętał, nie wiedział, jakim sposobem dostał się pod ziemię.

Przez całą zimę dziewczynka troskliwie opiekowała się biedną jaskółką, lecz musiała ukrywać swój dobry uczynek przed kretem i myszą polną, którzy nie lubili ptaszków.

Kiedy wróciła wiosna i ciepłe słonko zaświeciło znowu, jaskółka pożegnała Calineczkę, która otworzyła jej otwór w sklepieniu, starannie zatkany przez kreta. Natychmiast jasne i ciepłe promienie wśliznęły się do środka i rozweseliły posępne podziemie.

– Leć ze mną – rzekła serdecznie jaskółka. – Usiądź na mnie, a zaniosę cię daleko, do zielonego gaju. Tam żyć będziemy razem, będzie nam przyjemnie i wesoło.

– Nie mogę – odpowiedziała Calineczka. – Byłoby bardzo smutno myszy polnej, gdybym ją tak porzuciła. – Więc bądź zdrowa, kochana, dobra Calineczko!

– zaszczebiotała wesoło jaskółka i przez słoneczny otwór wzleciała ku górze i zniknęła w ciepłym blasku.

Dziewczynka została sama i długo patrzyła za nią ze łzami w oczach. Tak polubiła ptaszka!

– Kiwit! kiwit! – rozległo się znów nad otworem, ale cień tylko przemknął i zniknął natychmiast.

Smutno teraz było maleńkiej. Mysz jej nie pozwalała oddalać się z norki, a dokoła rosło zboże tak gęste i tak wysokie, że dla Calineczki stanowiło las prawdziwy, w którym nie widać jasnego słoneczka. Tęskniła więc do światła i do słońca.

– Winszuję ci, moja droga – rzekła pewnego dnia stara mysz z zadowoleniem – kret poprosił o twoją rękę i będziesz panią, co się zowie. Wielkie to szczęście dla takiej ubogiej dziewczyny! Trzeba tylko niezwłocznie zająć się wyprawą, bo do takiego domu musisz wejść zaopatrzona w bieliznę i wszelkie ubranie.

I zasiadła Calineczka do wrzeciona, a mysz najęła jeszcze cztery duże pająki, żeby przędły dla niej dniem i nocą. Poczciwie zajęła się losem ubogiej sieroty. Kret odwiedzał je każdego wieczora i codziennie narzekał na palące słońce. Ono to zamieniało ziemię w pył i kamień, a ludzie byli temu radzi i nazywali latem tę nieznośną porę roku. Ale lato przeminie, przyjdzie chłodna jesień i wtedy dopiero wyprawią wesele. Teraz o tym myśleć nie warto. Dziewczynka okropnie bała się tej jesieni, bo nie miała ochoty zostać żoną kreta. Taki nudny, niezgrabny, ślepy; nie lubi słońca, kwiatów!

Co dzień o wschodzie i zachodzie słońca stawała przed norką myszy i z tęsknotą patrzyła w górę, gdzie szumiały kłosy, jak las gęstego zboża. A ile razy wietrzyk je rozdzielił tak, że mogła zobaczyć kawałek błękitu, ogarniał

ją żal niezmierny i myślała o szczęśli-
wej i wesołej jaskółce. Jak ona buja
swobodnie, daleko! Żeby ją znów zobaczyć choć na chwilę! Ale zapewne
nigdy jej więcej nie spotka...

Jesień nadeszła wreszcie i wyprawa była
gotowa.

– Za cztery tygodnie wesele – powiedziała mysz
polna z radością. Wtedy Calineczka rozpłakała się na
dobre i przyznała się myszy, że nie chce być żoną takiego nudnego kreta.

Mysz rozgniewała się bardzo.

– A to co za głupota! – zawołała. – Słyszał kto coś
podobnego! Radzę ci po dobremu, wybij sobie z głowy
taki śmieszny upór, bo cię sama ukąszę białymi ząbkami.
Też mi grymasy! Taki bogacz, uczony, o wszystkim mówić
może! A futro aksamitne? Sama królowa nie ma podobnego.
Kuchnia, piwnica pełna. Dziękuj Bogu za takie szczęście!

Nastąpił dzień wesela. Kret przyszedł po narzeczoną, aby ją zabrać do
siebie. Odtąd będzie mieszkała głęboko pod ziemią i nie zobaczy już nigdy
słońca, bo kret go znieść nie może. Biedna dziecina pochyliła główkę i wyszła po raz ostatni pożegnać świat boży.

– Żegnaj mi, słonko złote! – zawołała i wyciągnęła rączki. – Żegnaj, słonko miłe!

Z jednej strony światło dziwnie przeglądało przez las żółtych słomek, więc
poszła w tę stronę kilka kroków i ujrzała, że zboże tu już zżęto i krótkie
źdźbła wyglądały teraz z ziemi. Ale słońce przyświecało za to bez przeszkody
i widać było wszystko dokoła.

– Żegnaj mi, żegnaj, słonko! – powtarzała.
Objęła mały, czerwony kwiatuszek i szeptała ze łzami:

– Pozdrów ode mnie jaskółkę, może zobaczysz ją kiedyś. Pożegnaj ją ode
mnie.

– Kiwit, kiwit! – rozległo się tuż nad jej główką. Podniosła oczy: jaskółka
krążyła tuż nad nią.

Ucieszyła się bardzo, spostrzegłszy dziewczynkę i natychmiast usiadła przy niej. A Calineczka zaczęła jej mówić, że ma zostać żoną szkaradnego kreta i mieszkać odtąd głęboko pod ziemią, gdzie słońce nigdy nie dochodzi. Przy tych słowach rozpłakała się serdecznie.

– Nie płacz – rzekła jaskółka. – Zima już nadchodzi i wybieram się w podróż do cieplejszych krajów; leć ze mną. Usiądziesz mi na grzbiecie pomiędzy skrzydłami i uciekniemy obie od brzydkiego kreta i jego ciemnego mieszkania. Uciekniemy daleko, za góry, za morza, gdzie słońce jaśniej, cieplej świeci, gdzie kwitną cudne kwiaty. Leć ze mną. Tyś mi ocaliła życie, gdy leżałam zziębnięta w ciemnym lochu, ja bym cię chciała ocalić od kreta.

– Dobrze, polecę z tobą – rzekła Calineczka.

Jaskółka przytuliła się do ziemi, dziewczynka weszła na nią i przywiązała się paskiem do mocniejszych piórek. Potem ptaszek uniósł się w powietrze i leciał ponad lasami, morzami, wznosił się ponad góry, wiecznym okryte śniegiem. Było tam zimno, lecz dziewczynka skryła się pod skrzydełka ptaszka i tylko małą główkę wysunęła, aby widzieć te cuda, jakich pełno na świecie bożym.

Doleciały na koniec do cieplejszych krajów. Tutaj słońce świeciło jaśniej i goręcej, niebo było wyżej i dziwnie błękitne, a po rowach i płotach rosły najpiękniejsze, zielone i granatowe winogrona. W lasach było pełno cytryn i pomarańczy, w powietrzu uniósł się zapach kwiatów, prześliczne dzieci biegały po drodze, goniąc się z motylami.

Ale jaskółka leciała wciąż dalej, gdzie było jeszcze piękniej, jeszcze cieplej. Zatrzymała się wreszcie nad dużym, błękitnym jeziorem, otoczonym zielonymi drzewami, wśród których widać było biały pałac marmurowy. Wino oplatało wysokie kolumny wkoło pałacu, a w górze pod dachem kryły się gniazda jaskółek.

– Oto mój dom – rzekł ptaszek. – Ale nie wypada, abyśmy mieszkały razem. Gniazdko nieodpowiednio urządzone, byłoby ci w nim ciasno, niewygodnie i za wysoko. Wybierz sobie lepiej któryś z tych wspaniałych kwiatów, co tu rosną na klombach, a od razu tam cię zaniosę i będzie ci dobrze, jak w raju.

Calineczka klasnęła w dłonie.

– Ach, będzie prześlicznie!

I wybrała wielki, biały kwiat, rosnący między odłamami skruszonej przez czas kolumny. Jaskółka podfrunęła i posadziła dziewczynkę na błyszczącym, zielonym listku. Calineczka natychmiast chciała wejść do kwiatka, aby wypocząć po długiej podróży, lecz jakże się przestraszyła i zdziwiła, kiedy ujrzała wewnątrz małego człowieka, podobnego do siebie, tylko w złocistej koronie i z przejrzystymi skrzydłami u ramion. Ciało jego było także przezroczyste, jak gdyby z najpiękniejszego kryształu, oczy jak dwie iskierki, a strój tak wspaniały, jakiego dotąd jeszcze nigdy nie widziała.

Był to duch tego kwiatu, maleńki elf. Każdy kwiatek w tym kraju miał takiego ducha, który w nim mieszkał – w jednym chłopcy, w innych dziewczynki; ale ten był królem elfów.

– Ach, jaki on śliczny! – szepnęła Calineczka do jaskółki.

Maleńki król przestraszył się wielkiego ptaka, lecz gdy ujrzał śliczną dziewczynkę, tak się ucieszył, że zapomniał zupełnie o strachu. Zdjął natychmiast z głowy swą złotą koronę, podał ją Calineczce i zapytał, czy chce być jego żoną, królową wszystkich kwiatów? To przecież zupełnie inny mąż niż szkaradny syn ropuchy lub kret w aksamitnym futrze.

– Ach, czy ja jestem ciebie warta? – szepnęła zawstydzona Calineczka.

– Jesteś warta, bo jesteś dobra, śliczne dziecię, inaczej nie pokochałby cię ten ptak wielki i nie przyniósł aż tu na skrzydłach. Kto umiał zdobyć

przyjaźń jaskółki, ten jest godzien zostać królową
elfów.

Cóż to było za szczęście! Ze wszystkich kwiatów
wyfruwały lekkie, przejrzyste duchy, pojedynczo
lub parami i spieszyły złożyć królowej życzenia
i cudne dary. Najbardziej ucieszyła ją jednak
para przezroczystych skrzydeł wielkiej mu-
chy. Zaraz je przywiązano do ramion dziewczynki i mogła, jak inne elfy, przelatywać
z kwiatka na kwiatek. Cieszyła się tym
niezmiernie.

A jaskółka usiadła w swoim gniazdeczku
i śpiewała jej pieśń weselną. Śpiewała jak najpiękniej, lecz smutno jej było, że się musi rozstać
z Calineczką.

– Nie będziesz się nazywała odtąd Calineczką – przemówił mąż do królowej – nie podoba mi się to imię. Będziesz nazywała się Mają.

Przez całe lato jaskółka cieszyła się wielkim szczęściem młodej pary i śpiewała jej cudne piosenki. Lecz przyszedł dla niej czas odlotu.

– Bądź szczęśliwa! Bądź zdrowa! – powtarzała smutnie, wybierając się
w podróż daleką.

I przyleciała z powrotem do Danii, do swego gniazdka nad oknem
człowieka, który wam opowiedział tę bajeczkę.

– Kiwit, kiwit! – zawołała.

I stąd znamy całą historię.

Księżniczka
na ziarnku grochu

Był raz sobie pewien książę, który chciał pojąć za żonę prawdziwą księżniczkę. Jeździł po całym świecie i szukał tej jedynej, ale zawsze coś stawało mu na przeszkodzie.

Nie brakowało co prawda księżniczek, ale młodzieniec, patrząc na wszystkie te piękne panny, nie mógł pozbyć się wrażenia, że nie są one stuprocentowymi księżniczkami.

Nie znalazłszy tej, której szukał, wrócił do ojcowskiego zamku smutny i zniechęcony.

Aż pewnego wieczora rozszalała się burza. Błyskało się i grzmiało, a deszcz lał się strumieniami. Nagle ktoś zastukał do bram miasta. Gdy je otworzono, oczom zdumionych mieszkańców ukazała się młoda dziewczyna. Jak ona wyglądała! Woda ściekała z jej włosów i sukni, lała się do trzewików i wytryskała z ich końców w górę. Nie był to jednak koniec niespodzianek na ten wieczór – nieznajoma oświadczyła, że jest tą jedyną prawdziwą, poszukiwaną księżniczką!

– Ano, przekonamy się zaraz – pomyślała królowa-matka, ale głośno nie rzekła nic.

Poszła razem ze służkami, które przygotowywały sypialnię dla niespodziewanego gościa, zdjęła z łóżka całą pościel i położyła na deskach jedno małe ziarenko grochu. Potem przykryła je dwudziestoma materacami i jeszcze ułożyła na nich dwanaście puchowych pierzyn, jedną na drugiej.

Łóżko dla księżniczki było gotowe.

Rano królowa spytała ją, czy dobrze spała.

– O, niestety nie! – odparła księżniczka. – Przez całą noc nie zmrużyłam oka. Leżałam na czymś strasznie twardym, całe ciało mam posiniaczone i obolałe.

Po tym poznano, że to rzeczywiście jest prawdziwa księżniczka. Bo tylko prawdziwa księżniczka mogła poczuć ziarenko grochu przez dwadzieścia materacy i dwanaście puchowych pierzyn!

Uszczęśliwiony książę wziął ją za żonę, a ziarnko grochu umieszczono w państwowym muzeum osobliwości i pewnie jest ono tam do dziś (o ile gdzieś nie przepadło).

Taka to jest prawdziwa historia o prawdziwej księżniczce.

Dzikie łabędzie

Daleko stąd, tam, dokąd lecą jaskółki, kiedy u nas jest zima, mieszkał król, który miał jedenastu synów i jedną córkę, Elizę. Bracia byli królewiczami, chodzili do szkoły z orderami na piersiach i szablami u boku, pisali diamentowymi szyferkami na złotych tabliczkach; co tylko przeczytali, zaraz umieli na pamięć; od razu widać było, że są królewiczami. Siostra Eliza siedziała na małym, szklanym stołeczku i oglądała książkę z obrazkami, książkę, którą kupiono za pół królestwa. Ach, jak dobrze było tym dzieciom! Ale to szczęście nie trwało długo. Ich ojciec, król całego kraju, ożenił się ze złą królową, która wcale nie była dobra dla biednych dzieci; odczuły to już pierwszego dnia. W zamku odbywały się paradne zabawy, a dzieci bawiły się również w „gości", ale nie dostały, jak zwykle, ciastek i pieczonych jabłek, królowa dała im tylko w filiżance do herbaty trochę piasku i powiedziała, żeby udawały, że piją naprawdę herbatę.

Po tygodniu oddała małą siostrę Elizę na wieś do chłopów, a po krótkim czasie usposobiła króla tak źle do biednych królewiczów, że wcale już o nich nie dbał.

– Lećcie sobie w świat i sami się o siebie troszczcie – powiedziała zła królowa. – Zamieńcie się w ptaki i utraćcie mowę. – Ale nie potrafiła wyrządzić tyle zła, ile chciała; królewicze przemienili się w jedenaście cudnych dzikich łabędzi. Z dziwnym krzykiem wyfrunęły ptaki przez zamkowe okna, ponad parkiem i lasem.

Wczesnym rankiem łabędzie przyleciały do chaty, gdzie siostra Eliza spała w chłopskiej izbie, krążyły nad dachem, kręciły długimi szyjami, uderzały skrzydłami, ale nikt tego nie widział ani nie słyszał. Musiały lecieć dalej, wysoko aż do chmur, w daleki świat; poleciały do dużego, ciemnego lasu, który ciągnął się do brzegu morza.

Biedna mała Eliza stała w chłopskiej izbie i bawiła się zielonym listkiem – nie miała innej zabawki; przekłuła w listku dziurkę i spojrzała przez nią w słońce, i wtedy zdawało się jej, że widzi jasne oczy swych braci, i za każdym razem, kiedy ciepłe promienie słoneczne ogrzewały jej policzki, czuła jak gdyby pocałunki swych braci.

Jeden dzień mijał podobny do drugiego. Kiedy wiatr dął przez wielkie, różane żywopłoty przed domem, szeptał do róż:

– Któż może być od was piękniejszy?

Ale róże potrząsały głowami i mówiły:

– Eliza jest piękniejsza!

A kiedy staruszka siedziała w niedzielę przed drzwiami i czytała książkę do nabożeństwa, wiatr odwracał stronice i mówił do książki:

– Któż jest bardziej pobożny od ciebie?

– Eliza jest pobożniejsza! – mówiła książka do nabożeństwa. Róże i modlitewnik mówiły prawdę.

Gdy Eliza skończyła piętnaście lat, wróciła do domu, a gdy królowa zobaczyła, jaka jest piękna, ogarnęła ją złość i zawiść; z chęcią przemieniłaby ją w dzikiego łabędzia jak jej braci, ale nie odważyła się uczynić tego natychmiast, bo król pragnął przecież zobaczyć swoją córkę.

Wczesnym rankiem poszła królowa do łazienki zbudowanej z marmuru, ozdobionej miękkimi poduszkami i wspaniałymi dywanami, wzięła trzy ropuchy, pocałowała je i powiedziała do jednej z nich:

– Usiądź na głowie Elizy, kiedy się będzie kąpała, aby była tak głupia jak ty! Usiądź na jej czole – powiedziała do drugiej – aby była tak brzydka jak ty, aby ojciec jej nie poznał. Spoczywaj na jej sercu – szepnęła do trzeciej – niech się stanie zła, niech cierpi przez to męki!

Potem włożyła ropuchy do czystej wody, która zabarwiła się na zielono, zawołała Elizę, rozebrała ją i kazała jej wejść do wody. Kiedy dziewczynka się zanurzyła, jedna ropucha usiadła jej na włosach, druga na czole, a trzecia na piersi; ale Eliza nie spostrzegła ich wcale, gdy się bowiem podniosła, po wodzie pływały trzy czerwone maki. Gdyby gady nie były zatrute i gdyby nie to, że pocałowała je czarownica, przemieniłyby się w czerwone róże; ale stały się jednak kwiatami, bo spoczywały na głowie i na sercu Elizy, która była zbyt pobożna i niewinna, aby czary mogły mieć nad nią moc.

Kiedy zła królowa to zobaczyła, natarła Elizę sokiem włoskiego orzecha, tak że dziewczynka całkiem poczerniała; posmarowała jej piękną twarzyczkę cuchnącą maścią i skołtuniła jej włosy; niepodobna było poznać pięknej Elizy. Ojciec przeraził się na jej widok i powiedział, że to nie może być jego córka; nikt jej nie poznał prócz podwórzowego psa i jaskółek, ale były to przecież mizerne stworzenia i nic nie miały do gadania.

Wtedy biedna Eliza zaczęła płakać i przypomniała sobie swych jedenastu braci. Pełna smutku wymknęła się z zamku, przez cały dzień chodziła po polach i błotach, aż w końcu przyszła do dużego lasu. Nie wiedziała, dokąd szła, ale czuła się tak nieszczęśliwa i tak bardzo tęskniła do swoich braci; na pewno ich także wygnano, tak samo jak ją, w szeroki świat. Chciała ich odnaleźć.

Niedługo była w lesie, a już noc zapadła; dziewczynka nie mogła odnaleźć drogi; wtedy położyła się na miękkim mchu, odmówiła wieczorną modlitwę i oparła głowę o pień drzewa. Było tak cicho, powietrze takie łagodne, a naokoło w trawie i mchu tysiące świętojańskich robaczków świeciło jak zielony ogień; kiedy dotknęła ręką gałęzi, błyszczące owady spadały na nią jak deszcz gwiazd. Przez całą noc śnili się jej bracia; bawili się znowu jako dzieci, pisali diamentowymi szyferkami na złotych tabliczkach i oglądali piękną książkę z obrazkami, która kosztowała pół królestwa, ale nie pisali na tablicy tak jak przedtem zer i kresek, tylko najdziwniejsze czyny, jakich dokonali, wszystko, co przeżyli i co widzieli; a w książce z obrazkami wszystko żyło: ptaki śpiewały, ludzie wychodzili z książki i rozmawiali z Elizą i z jej braćmi, ale gdy przewracała kartkę, wskakiwali znowu do środka, aby nie wprowadzić nie- ładu między obrazkami.

Kiedy się obudziła, słońce stało już wysoko na niebie; nie widziała go wprawdzie, gdyż przesłaniała je gęsta zieleń drzew, ale jego promienie przebłyskiwały jak powiewna złota tkanina; zieleń pachniała, a ptaki nieledwie siadały na jej ramionach. Słyszała plusk wody, mnóstwo strumieni przepływało przez las, wszystkie wpadały do jednego jeziora, gdzie było najpiękniejsze, piaszczyste dno; rosły tam wprawdzie naokoło gęste krzaki, ale jelenie zrobiły w jednym miejscu duży otwór i tędy przeszła Eliza ku wodzie. Woda była tak przezroczysta, że gdyby wiatr nie poruszał krzaków i gałęzi, można by myśleć, że zostały one namalowane na dnie, tak wyraźnie odbijał się każdy listek – zarówno oświetlony słońcem, jak i pogrążony w cieniu.

Gdy tylko Eliza zobaczyła własną twarz w wodzie, przeraziła się, taka była czarna i brzydka, ale kiedy umoczyła rączkę i wytarła nią oczy i czoło, ukazała się biała skóra; wtedy zdjęła wszystko, co miała na sobie, i weszła do czystej wody; nie było na świecie piękniejszego królewskiego dziecka od niej.

Kiedy się znowu ubrała i zaplotła długie warkocze, podeszła do bijącego źródła, napiła się z dłoni i powędrowała w głąb lasu, nie wiedząc, dokąd idzie. Myślała o braciach i myślała o Panu Bogu, który jej na pewno nie opuści. On to sprawił, że w lesie rosły dzikie jabłka, aby nasycić głodnych. On to pokazał jej drzewo, którego gałęzie uginały się pod ciężarem owoców: zatrzymała się, aby się posilić, podłożyła podpórki pod gałęzie i weszła w najmroczniejszą głębinę lasu. Było tam tak cicho, że słyszała swoje własne kroki, słyszała szelest każdego suchego listka, który kruszyła stopami, nawet żadnego ptaka nie było widać, ani jeden promień słoneczny nie przedostawał się przez wielkie, gęste gałęzie drzew; wysokie pnie stały tak blisko jeden drugiego, że gdy patrzyła prosto przed siebie, wydawało się jej, że otacza ją płot z belek. Ach, jakaż tu panowała pustka i głusza, nigdy jeszcze takiej nie zaznała!

Noc stawała się ciemna, nawet żaden robaczek świętojański nie błyszczał wśród mchu, ułożyła się zmartwiona do snu. Wydawało jej się, że gałęzie otwierają się nad nią i że dobry Bóg patrzy na nią łagodnie, a małe aniołki wyglądają znad jego głowy i spod jego ramion.

Kiedy się nazajutrz obudziła, nie wiedziała, czy jej się to śniło, czy to było naprawdę. Zrobiła parę kroków i spotkała staruszkę z koszem pełnym jagód; staruszka dała jej parę jagódek. Eliza pytała, czy nie widziała jedenastu królewiczów jadących konno przez las.

– Nie! – powiedziała stara. – Ale widziałam wczoraj jedenaście łabędzi ze złotymi koronami na głowach, płynęły tu rzeką w pobliżu!

I zaprowadziła Elizę trochę dalej nad urwisko; w dole wiła się rzeczka, drzewa rosnące na brzegu wyciągały ku sobie długie, pełne liści gałęzie, a tam, gdzie nie były dość wysokie, by dosięgnąć jedno drugiego, uwalniały swe korzenie z ziemi i zwieszały się nad wodą, splecione z gałęziami. Eliza pożegnała staruszkę i poszła wzdłuż rzeki aż do miejsca, gdzie wpadała ona do wielkiego, otwartego morza.

Przed młodą dziewczyną rozciągało się wielkie, wspaniałe morze, ale nie widziała ani jednego żagla, ani jednej łódki, jakże miała się dalej przedostać? Patrzyła na niezliczone małe kamyki leżące na brzegu wody; woda oszlifowała je gładko. Szkło, żelazo, kamienie – wszystko zostało ukształtowane przez wodę, która była o wiele miększa niż jej delikatna ręka. „Woda niestrudzenie pracuje i wygładza nawet twarde kamienie; pragnę być równie niestrudzona! Dziękuję wam za waszą naukę, czyste, bijące fale! Serce mi mówi, że kiedyś zaniesiecie mnie do moich ukochanych braci!".

Na morskiej trawie spłukanej wodą leżało jedenaście białych piór łabędzich; Eliza zrobiła z nich wiązankę; krople wody błyszczały na piórach, nikt nie wiedział, czy to była rosa, czy łzy. Samotnie było na brzegu, ale Eliza nie czuła tego, bo morze wiecznie się zmieniało, w ciągu paru godzin więcej razy zmieniało swój wygląd niż jeziora w ciągu całego roku. Kiedy nadciągała wielka, ciemna chmura, wydawało się, że morze chce powiedzieć: „I ja też potrafię wyglądać ponuro"; gdy wiał wiatr, fale obracały się białymi grzbietami, lecz gdy chmury stawały się czerwone, a wiatr zasypiał, morze wyglądało jak płatek róży: raz było zielone... to znowu białe, ale nawet kiedy było w zupełnym spoczynku, przy brzegu poruszało się z lekka; woda wznosiła się łagodnie jak oddech śpiącego dziecka.

Kiedy słońce chyliło się ku zachodowi, Eliza zobaczyła jedenaście dzikich łabędzi w złotych koronach na głowach, lecących w kierunku lądu; leciały jeden za drugim i wyglądały jak długa, biała wstęga; wtedy Eliza weszła na urwisko i ukryła się za krzakiem; łabędzie spuściły się na ziemię tuż koło niej i biły dużymi, białymi skrzydłami.

W tej samej chwili, kiedy słońce zanurzyło się w wodzie, nagle opadły z nich łabędzie pióra i ukazało się jedenastu królewiczów, braci Elizy. Dziewczynka krzyknęła głośno, bo chociaż zmienili się bardzo, sercem ich poznała, wiedziała, że to są oni; rzuciła się im w ramiona, wołała ich po imieniu, a oni cieszyli się, widząc swą małą siostrzyczkę, taką już teraz dużą i śliczną. Śmiali się i płakali, opowiadając sobie wzajemnie o tym, jaka macocha była zła dla nich wszystkich.

– My, bracia – powiedział najstarszy – latamy jako dzikie łabędzie, dopóki słońce świeci na niebie; ale gdy tylko zachodzi, przemieniamy się w ludzi; i dlatego musimy zawsze uważać, aby podczas zachodu słońca mieć pod nogami stały ląd, bo gdybyśmy wówczas lecieli pod obłokami, spadlibyśmy jako ludzie w dół. Nie mieszkamy tutaj; po drugiej stronie morza znajduje się równie piękny kraj; ale droga prowadząca tam jest długa, musimy lecieć nad wielkim morzem i nie ma żadnej wyspy, na której moglibyśmy przenocować; jedynie w połowie drogi wystaje samotna skała; jest tak mała, że możemy się na niej pomieścić tylko ciasno jeden obok drugiego; przy silniejszej fali opryskuje nas woda, ale dziękujemy Bogu i za to; tam nocujemy, kiedy jesteśmy w ludzkiej postaci; gdyby nie ta skała, nie zobaczylibyśmy nigdy naszej ukochanej ojczyzny; najdłuższe dwa dni w roku zużywamy na nasz lot. Tylko raz do roku możemy odwiedzić naszą ojczyznę, wolno nam zostać tu przez jedenaście dni, aby oblecieć ten wielki las, skąd możemy zobaczyć za-

mek, gdzie się urodziliśmy i gdzie mieszka nasz ojciec, i wysoką wieżę kościoła, w którym jest pochowana nasza matka. Tutaj wydaje się nam, jak gdyby drzewa i krzaki były z nami spokrewnione, tutaj dzikie konie uganiają się po równinach, tak jak za czasów naszego dzieciństwa; tu drwale śpiewają stare pieśni, przy których tańczyliśmy, będąc dziećmi, tutaj jest nasza ojczyzna, do której ciągną nas serca, i tutaj znaleźliśmy ciebie, kochana, mała siostrzyczko! Dwa dni możemy tu zostać, potem polecimy stąd daleko za morze, do pięknego kraju, który jednak nie jest naszą ojczyzną. Jak cię stąd zabrać? Nie mamy ani statku, ani łódki!

– Jakże was mogę wybawić? – pytała siostra.

I rozmawiali tak z sobą prawie przez całą noc, drzemiąc tylko parę godzin.

Elizę obudził łopot skrzydeł łabędzi przelatujących nad nią. Bracia przemienili się znowu i lecieli, zakreślając wielkie kręgi, byli już dość daleko, ale najmłodszy z nich pozostał; położył głowę na kolanach Elizy, a ona gładziła jego białe skrzydła, przez cały dzień byli razem. Pod wieczór przyleciały inne łabędzie, a kiedy słońce zaszło, stanęli przed nią w swej naturalnej postaci.

– Jutro odlatujemy stąd i dopiero po roku wrócimy, ale nie możemy ciebie tutaj zostawić. Czy masz odwagę polecieć z nami? Mamy dość silne ramiona, dość mocne skrzydła, aby móc cię przenieść przez las i lecieć razem z tobą nad morzami.

– Ach, weźcie mnie z sobą! – zawołała Eliza.

Przez całą noc pletli siatkę z giętkiego wierzbowego łyka i mocnego sitowia, siatka była duża i mocna. Eliza położyła się na niej, a kiedy wzeszło słońce i bracia przemienili się w dzikie łabędzie, pochwycili dziobami siatkę i polecieli ze swą kochaną siostrą, która jeszcze spała, wysoko aż pod chmury. Promienie słoneczne padały wprost na jej twarz i dlatego jeden z łabędzi leciał nad jej głową i jego wielkie skrzydła okrywały ją cieniem.

Byli już daleko od lądu, kiedy Eliza obudziła się. Miała wrażenie, że jeszcze śni, taki to był cudowny lot wysoko w powietrzu nad morzem. Obok niej leżała gałązka z pięknymi, dojrzałymi jagodami i wiązka smakowitych korzeni, zebrał je dla niej najmłodszy brat, a ona uśmiechała się do niego w podzięce; poznała, że to on leci nad jej głową i ocienia ją swymi skrzydłami.

Lecieli tak wysoko w powietrzu, że pierwszy okręt, który zobaczyli na dole, wyglądał jak biała mewa siedząca na wodzie. Za nimi wznosiła się olbrzymia

chmura niby wielka góra i Eliza zobaczyła na niej swój własny cień oraz wyol-
brzymiony cień wszystkich jedenastu łabędzi. Był to tak wspaniały obraz, jakiego jeszcze nigdy nie widziała; ale gdy słońce weszło wyżej i chmura została
za nimi w tyle, kołyszący się miraż zniknął.

Przez cały dzień lecieli w powietrzu jak świszcząca strzała, ale lot ich był
wolniejszy niż zwykle, bo nieśli przecież siostrę. Nadciągała burza, zbliżał
się wieczór. Eliza patrzała pełna lęku na zachodzące słońce, a na morzu nie
widać było jeszcze samotnej skały; zdawało jej się, że łabędzie silniej uderzają
skrzydłami. Ach, to ona była winna temu, że nie mogli dość prędko posu-
wać się naprzód; gdy słońce zajdzie, przemienią się w ludzi, spadną do morza
i utoną! Wówczas zaczęła się modlić z głębi serca do Boga, ale wciąż jeszcze
nie widziała skały. Czarna chmura zbliżała się, silne podmuchy zwiastowały
burzę, chmury wyglądały jak jedna wielka, groźna fala, mknąca naprzód jak
wystrzelona kula. Błyskawica zapalała się po błyskawicy. Teraz słońce do-
sięgło linii morza. Serce Elizy drżało. Nagle łabędzie spuściły się w dół tak
szybko, że dziewczynka myślała, że spadają, ale one wciąż leciały. Słońce było

do połowy pod wodą, wtedy dopiero spostrzegła małą skałę; nie zdawała się większą od foki, która wysuwa głowę z wody. Słońce zachodziło szybko, teraz wyglądało już jak gwiazda; wtedy stopa jej dotknęła skały, słońce zgasło natychmiast, jak ostatnia iskra palącego się papieru; bracia stali ramię przy ramieniu, a miejsca starczyło tyle tylko, co dla nich i dla niej. Morze uderzało o skałę i oblewało ich jak ulewa. Niebo płonęło nieustającymi błyskawicami i grom uderzał po gromie, a bracia i siostra trzymali się za ręce i śpiewali psalmy, czerpiąc z nich pociechę i otuchę.

Kiedy nastał świt, powietrze było czyste i ciche. Ze wschodem słońca łabędzie z Elizą opuściły skałę. Morze ryczało jeszcze dziko, kiedy byli wysoko w powietrzu, biała piana na czarnozielonym morzu wyglądała jak miliony łabędzi pływających po wodzie.

Kiedy słońce wznosiło się na niebie, Eliza zobaczyła górzysty kraj zarysowujący się w powietrzu, białe lodowce błyszczały na wierzchołkach gór, a pośrodku wznosił się na milę zamek z jedną kolumnadą nad drugą; niżej kołysały się palmowe lasy i wspaniałe kwiaty, wielkie jak młyńskie koła. Spytała, czy to jest kraj, do którego lecą, ale łabędzie potrząsały głowami, bo to, co widziała Eliza, było pięknym, wiecznie zmieniającym się zamkiem z chmur – fatamorganą; ludzie nie mogli tam zamieszkać. Eliza wciąż patrzyła: zawaliły się nagle góry, lasy i zamek, a w ich miejsce stało dwadzieścia dumnych kościołów, wszystkie do siebie podobne, z wysokimi wieżami i spiczastymi oknami. Wydawało jej się, że słyszy grę na organach; ale to tylko morze szumiało. Gdy byli zupełnie blisko, kościoły przemieniły się w wielką flotę, która płynęła pod nimi; spojrzała w dół i zobaczyła, że były to tylko mgły snujące się ponad wodą. Miała przed oczami ciągle zmieniające się obrazy, wreszcie ujrzała rzeczywistą krainę, do której podążali; wznosiły się tam cudne, błękitne góry, pokryte cedrowymi lasami, miastami i zamkami. Jeszcze na długo przed zachodem słońca siedziała na skale przed wielką grotą, zarośniętą zielonymi, pnącymi roślinami; wyglądało to jak haftowane zasłony.

– Zobaczymy, co ci się będzie tej nocy śniło! – powiedział najmłodszy brat i pokazał jej sypialnię.

„Ach, gdyby mi się przyśniło, w jaki sposób mogę was odczarować!” – pomyślała Eliza; ta myśl zajęła ją tak bardzo, że modliła się żarliwie do Boga o pomoc; nawet we śnie nie przestawała się modlić; zdawało jej się, że pofrunęła wysoko do cudnego pałacu fatamorgany i że naprzeciw niej wyszła piękna wróżka; przypomniała jej ona jednak staruszkę, która obdarzyła ją w lesie jagodami, tę, co jej opowiedziała o łabędziach ze złotymi koronami na głowach.

– Możesz odczarować twoich braci! – powiedziała. – Ale czy jesteś odważna i wytrzymała? Morze jest większe od twoich delikatnych rąk, a jednak kształtuje twarde kamienie, ale nie czuje bólu, jaki będą czuły twoje palce, bo nie ma serca, nie lęka się, nie cierpi, tak jak ty będziesz cierpiała. Czy widzisz tę pokrzywę, którą trzymam w ręku? Wokoło groty, w której śpisz, rośnie wiele podobnych. Zwracam ci uwagę, że możesz użyć tylko tych pokrzyw, jak również takich, które rosną na grobach cmentarzy. Zapamiętaj sobie, musisz je zerwać, nawet gdyby twoja skóra pokryła się pęcherzami; musisz je pognieść nogami, wtedy otrzymasz włókna, z których masz upleść jedenaście koszulek rycerskich z długimi rękawami; narzuć je na łabędzie, a wtedy czar pryśnie. Zapamiętaj sobie jednak, że podczas pracy, dopóki jej nie skończysz, nie wolno ci mówić, nawet gdyby to miało trwać lata. Pierw-

sze słowo, jakie powiesz, przeszyje śmiertelnym sztyletem serca twoich braci;
od twojego języka zależy ich życie. Zapamiętaj sobie dobrze to wszystko.

I w tej samej chwili dotknęła jej ręki pokrzywą; paliła jak ogień. Eliza obudziła się. Był jasny dzień i tuż obok miejsca, gdzie spała, leżała pokrzywa, tak
jak ją widziała we śnie. Wtedy padła na kolana, dziękowała Bogu i wyszła
z groty, aby rozpocząć pracę.

Delikatnymi rękami brała wstrętne pokrzywy. Paliły jak ogień, wielkie
pęcherze pokryły jej ręce i ramiona, ale znosiła wszystko chętnie, aby tylko wyzwolić braci. Każdą pokrzywę deptała bosymi nogami i plotła zielone
włókna. Kiedy słońce zaszło, przyszli bracia i przestraszyli się, gdy ją zastali
niemą; myśleli, że to nowy czar złej macochy, ale gdy zobaczyli jej ręce, zrozumieli, że robiła to dla nich i najmłodszy brat zaczął płakać, a tam gdzie łza
jego padła, znikały palące pęcherze i Eliza nie czuła bólu.

Noc spędziła na robocie, bo wiedziała, że nie będzie miała spokoju, zanim
nie zbawi swych kochanych braci. Przez cały następny dzień, gdy nie było
łabędzi, siedziała samotnie, ale nigdy jeszcze czas nie mijał jej tak prędko.
Jedna koszulka była już gotowa, teraz zaczęła drugą. Aż tu wśród gór rozległ
się dźwięk myśliwskiego rogu. Eliza przeraziła się; odgłosy były coraz bliższe,
słyszała szczekanie psów; przestraszona, ukryła się w grocie, związała zebrane
i zmiędlone pokrzywy w węzełek i usiadła na nim.

Nagle wielki pies wyskoczył z zarośli, a zaraz za nim jeszcze jeden i jeszcze jeden; szczekały głośno, odbiegały i znowu wracały. Wkrótce potem przed jaskinią stanęli wszyscy strzelcy, a najpiękniejszy z nich był królem tej ziemi. Podszedł do Elizy, nigdy jeszcze nie widział tak pięknej dziewczyny.

– Jakże się tu dostałaś, cudne dziecko? – zapytał.

Eliza potrząsnęła głową, nie mogła przecież mówić, chodziło o życie i o wyzwolenie jej braci; schowała pod fartuchem ręce, aby nie widział, ile wycierpiała.

– Chodź ze mną! – powiedział. – Nie możesz tu zostać. Jeżeli jesteś tak dobra jak piękna, ubiorę cię w aksamity i w jedwabie, a na głowę ci włożę złotą koronę; będziesz mieszkała i rządziła w moim najwspanialszym zamku! – I potem wziął ją na konia, Eliza płakała i łamała ręce, ale król powiedział:

– Pragnę tylko twego szczęścia! Kiedyś podziękujesz mi za to!

I pojechał przez góry, trzymając ją na koniu przed sobą, a myśliwi pędzili za nim.

Kiedy zaszło słońce, przyjechali do wspaniałego królewskiego miasta z kościołami i kopułami; król zaprowadził ją do zamku, gdzie w marmurowych, wysokich salach pluskały wielkie fontanny, gdzie lśniły malowidła na sufitach i na ścianach; ale Eliza nie patrzała na to wszystko, płakała i rozpaczała; nie opierając się, dała się przebrać służebnicom we wspaniałe szaty, dała sobie wpleść we włosy perły, a na poparzone palce włożyć cienkie rękawiczki.

Kiedy stanęła w całej wspaniałości, była tak olśniewająco piękna, że dwór skłonił się przed nią jeszcze niżej, a król postanowił wziąć ją za żonę, chociaż arcybiskup potrząsał głową i szeptał mu, że piękna dziewczyna z lasu jest na pewno czarownicą: oślepia wszystkie oczy i otumania serce króla.

Ale król nic sobie z tego nie robił, kazał grać muzyce, kazał podać najdroższe potrawy i tańczyć najpiękniejszym dziewczynom; poprowadzono ją poprzez pachnące ogrody do wspaniałych sal; ale ani razu uśmiech nie rozjaśnił jej twarzy i nie rozbłysnął w jej oczach, z których przemawiał ból, jedyne jej bogactwo. Wówczas król otworzył małą izbę tuż obok pokoju, gdzie miała spać; izba ta była zawieszona zielonymi dywanami i wyglądała zupełnie jak pieczara, w której mieszkała; na podłodze leżała wiązka włókien, które Eliza wyprzędła z pokrzyw, a pod sufitem wisiała gotowa koszulka; wszystko to zabrał jeden ze strzelców jako coś niezwykłego.

– Tutaj możesz marzyć o twoim dawnym mieszkaniu! – powiedział król. – Masz tu robotę, którą się tam zajmowałaś; pośród tego całego przepychu będzie ci przyjemnie powracać myślami do dawnych czasów.

Gdy Eliza zobaczyła to, co było tak bliskie jej sercu, uśmiech rozjaśnił jej twarz i krew zabarwiła jej policzki, pomyślała o odczarowaniu swych braci, pocałowała królewską rękę, a on przycisnął ją do serca i kazał dzwonić dzwonom we wszystkich kościołach, aby obwieściły jego wesele. Piękna, niema dziewczyna z lasu została królową kraju.

Wtedy arcybiskup szepnął królowi do ucha złe słowa, które nie dotarły jednak do jego serca; wesele miało się odbyć; sam arcybiskup musiał jej włożyć na głowę koronę, nacisnął umyślnie zbyt ciasną, ciężką obręcz, tak żeby ją zabolało, ale bardziej bolało ją to, co miała w sercu: troska o braci. Nie czuła bólu cielesnego. Jej usta były nieme, za jedno słówko bracia zapłaciliby życiem; w jej oczach była głęboka miłość do dobrego, pięknego króla, który robił wszystko, aby jej sprawić radość. Z całego serca kochała go z każdym dniem więcej. Ach, gdyby mogła mu się zwierzyć, opowiedzieć mu swoje cierpienia, ale musiała zachować milczenie, musiała bez słowa pracować dalej. I dlatego wymykała się nocą do swojej komórki zmienionej w grotę, i przędła jedną koszulkę za drugą, ale gdy zaczęła siódmą, zabrakło jej włókien.

Wiedziała o tym, że na cmentarzu rosły potrzebne jej pokrzywy, ale sama musiała je zerwać; w jaki sposób mogła się tam dostać?

„Czym jest ból moich palców w porównaniu z bólem i męką, jaką odczuwa moje serce? – myślała. – Muszę się odważyć, Pan Bóg mnie nie opuści". Z sercem pełnym lęku, tak jak gdyby miała zamiar spełnić jakiś zły czyn, wymknęła się księżycową nocą do ogrodu, minęła długie aleje i pustymi ulicami wydostała się na cmentarz. Na jednym z najobszerniejszych kamieni mogilnych ujrzała zmory, wstrętne czarownice, które zdejmowały swoje łachmany, jakby się chciały kąpać, rozgrzebywały długimi, chudymi palcami świeże groby, wyjmowały trupy i pożerały ich ciała. Eliza musiała przechodzić tuż obok nich; patrzyły na nią złym wzrokiem, ale ona pomodliła się, zebrała pokrzywy i zaniosła je do zamku.

Jeden tylko człowiek ją widział – arcybiskup; nie spał, podczas gdy wszyscy spali; teraz upewnił się w swoim przekonaniu, że nie wszystko było w porządku z królową; była czarownicą i dlatego otumaniła króla i cały naród.

Gdy król się spowiadał, biskup opowiedział mu o tym, co zobaczył i czego się bał, i kiedy z jego ust posypały się twarde słowa, święci wyrzeźbieni w drzewie potrząsali głowami, jak gdyby chcieli powiedzieć: „To nieprawda. Eliza jest niewinna!". Ale arcybiskup tłumaczył to sobie inaczej; myślał, że święci świadczą przeciwko niej, że kiwają głowami nad jej grzechem. Dwie duże łzy potoczyły się po policzkach króla, wrócił do domu ze zwątpieniem w sercu; w nocy udawał, że śpi, ale sen nie zamknął jego oczu, słyszał, jak Eliza wstała, i co noc powtarzało się to samo; za każdym razem szedł za nią cicho i widział, że znika w swojej komórce. Z dnia na dzień stawał się bardziej ponury, Eliza widziała to, ale nie mogła zrozumieć dlaczego; a jednak to ją niepokoiło, jakże cierpiała w głębi serca za swoich braci! Jej gorące łzy spływały na królewski aksamit i purpurę i wyglądały jak błyszczące diamenty, a wszyscy, którzy widzieli ten przepych, zazdrościli królowej. Wkrótce skończyła robotę, brak było tylko jednej koszuli, ale nie miała już więcej włókien, ani jednej pokrzywy. Jeszcze jeden raz, ostatni raz, musiała pójść na cmentarz, by uzbierać parę pełnych garści. Myślała z lękiem o samotnej wędrówce i o strasznych zmorach, ale jej wola była tak stanowcza jak ufność w Bogu.

Eliza poszła, ale król i arcybiskup szli za nią. Widzieli, że zniknęła za furtką prowadzącą na cmentarz, a kiedy zbliżyli się do furtki, ujrzeli czarownice siedzące na kamieniach, tak jak je ujrzała Eliza. Król odwrócił się, gdyż wśród nich wyobraził sobie, że widzi tę, której głowa spoczywała jeszcze tego wieczora na jego piersi.

– Lud niech ją sądzi! – powiedział, i lud ją osądził: „Niech ją czerwony ogień pochłonie!".

Ze wspaniałych królewskich sal wyprowadzono Elizę do ciemnej, wilgotnej nory, gdzie wiatr dął przez zakratowane okienko; zamiast aksamitów i jedwabi dali jej wiązkę pokrzyw, które zebrała; na nich miała złożyć głowę; twarde, palące koszulki uplecione przez nią miały jej służyć za pierzynę i kołdrę, ale wyrządzono jej tym przysługę, mogła bowiem dalej pracować, modląc się gorąco. Na ulicy ulicznicy śpiewali wyszydzające ją piosenki, żywa dusza nie pocieszyła jej ani jednym dobrym słowem.

Pod wieczór zaszumiały skrzydła łabędzie pod więziennym okienkiem; był to najmłodszy brat, który odnalazł siostrę, a ona szlochała z radości, chociaż wiedziała, że ta noc, która miała nadejść, będzie prawdopodobnie ostatnią nocą jej życia. Ale oto robota była już prawie skończona i jej bracia byli przy niej.

Przyszedł arcybiskup, aby spędzić u niej ostatnią godzinę, przyrzekł to królowi, ale ona potrząsała głową i prosiła go gestem i spojrzeniem, aby ją opuścił. Tej nocy musiała przecież skończyć swoją robotę, bo inaczej wszystko byłoby na próżno; wszystko – ból, łzy i bezsenne noce. Arcybiskup opuścił ją, lżąc złymi słowami, ale biedna Eliza wiedziała, że jest niewinna, i pracowała dalej.

Małe myszki, przebiegając po podłodze, przyciągały jej pod nogi włókna pokrzywy, aby jej choć trochę pomóc, a przed zakratowanym okienkiem usiadł drozd i przez całą noc śpiewał najweselej, jak umiał, aby Eliza nie traciła otuchy.

Jeszcze brzask nie wstał, dopiero za godzinę miało wzejść słońce, kiedy jedenastu braci stanęło przed bramą zamku i zażądało, aby ich zaprowadzono do króla, ale odpowiedziano, że to niemożliwe, bo noc, król śpi i nie można go budzić. Prosili, grozili, przyszła warta, nawet król wyszedł i spytał, co to ma znaczyć, ale w tej samej chwili wzeszło słońce i nie widać już było braci, tylko hen nad zamkiem leciało jedenaście dzikich łabędzi.

Cały lud tłoczył się do bram miasta, wszyscy chcieli zobaczyć, jak będą palili czarownicę.

Nędzna szkapa ciągnęła wóz, na którym siedziała Eliza; włożono na nią koszulę z grubego, workowego płótna; piękne długie rozpuszczone włosy otaczały jej cudną twarz, policzki były śmiertelnie blade, wargi poruszały się lekko, ale palce plotły zielone nici; nawet w tej śmiertelnej drodze nie porzuciła rozpoczętej pracy; dziesięć koszulek leżało u jej stóp, pracowała nad jedenastą; tłum szydził z niej.

– Spójrzcie na tę czarownicę, jak mruczy! Nie ma w ręku książki do nabożeństwa, siedzi ze swoją wstrętną, czarnoksięską robotą, podrzyjmy jej to na kawałki!

I rzucili się na nią, i chcieli jej podrzeć robotę; a wtedy przyleciało jedenaście białych łabędzi, usiadły naokoło niej na wozie i uderzały dużymi skrzydłami.

Przerażony tłum cofnął się.

– Oto znak boży! Ona jest na pewno niewinna! – szeptało wielu, ale nikt nie odważył się powiedzieć tego głośno.

Już kat chwytał ją za rękę, a ona rzuciła pośpiesznie jedenaście koszulek na łabędzie i oto stanęło przed nią jedenastu pięknych królewiczów; ale najmłodszy miał zamiast jednego ramienia skrzydło łabędzie, gdyż koszulce brakowało jednego rękawa, którego siostra nie zdążyła skończyć.

– Teraz mogę mówić! – powiedziała. – Jestem niewinna!

A lud widział, co się stało, i pochylił przed nią głowy jak przed świętą, ale ona osunęła się zemdlona w ramiona braci; tak podziałały na nią strach, ból i zmęczenie.

– Tak, jest niewinna! – zawołał najstarszy z braci i potem opowiedział wszystko, co się zdarzyło, a podczas gdy mówił, rozszedł się zapach jak od miliona róż, bo każde polano na stosie puściło korzenie i gałązki, wznosił się pachnący żywopłot wysoki i gęsty, utkany czerwonymi różami, a na samej górze błyszczał biały kwiat, połyskujący jak gwiazda; król zerwał ten kwiat i położył go na piersi Elizy; a ona zbudziła się radośnie ze szczęściem i spokojem w sercu. Wszystkie dzwony zaczęły same dzwonić i wielkimi gromadami przyleciały ptaki – ruszono z powrotem na zamek weselnym pochodem, orszakiem, jakiego nie miał żaden król na świecie.

Słowik

WChinach, wiesz pewnie o tym, cesarz jest Chińczykiem i wszyscy, którzy go otaczają, są również Chińczykami. Historia, którą opowiem, działa się przed wielu laty, ale właśnie dlatego trzeba jej wysłuchać, zanim o niej nie zapomną.

Zamek cesarza był najwspanialszym zamkiem na świecie, cały zrobiony z delikatnej porcelany, niezwykle kosztownej, a tak kruchej, że lada dotknięcie mogło ją stłuc, więc trzeba było bardzo uważać. W ogrodzie rosły najdziwniejsze kwiaty, a do najwspanialszych przywiązano srebrne dzwonki, które dzwoniły po to, aby nikt nie minął ich, nie zwróciwszy na nie uwagi.

Niezwykły był ogród cesarski, a tak wielki, że nawet ogrodnik nie wiedział, gdzie się kończy. Za ogrodem zaczynał się piękny las z wysokimi drzewami i głębokimi jeziorami. Las schodził aż do morza, które było niebieskie i głębokie; wielkie okręty mogły wjeżdżać aż pod zwisające gałęzie, a na jednej z takich gałęzi mieszkał słowik. Słowik śpiewał tak pięknie, że nawet biedny rybak, który ma przecież tyle innej roboty, kładł się i słuchał jego śpiewu, gdy nocą wychodził wyciągać sieci.

– Mój Boże, jakie to piękne! – mówił, lecz potem musiał już pilnować swojej roboty i zapominał o ptaszku; ale następnej nocy, kiedy ptak znowu śpiewał, a on wychodził, powtarzał to samo:

– Mój Boże, jakie to piękne!

Ze wszystkich stron świata zjeżdżali do cesarskiego miasta podróżni, podziwiali zamek i ogród, ale gdy słyszeli śpiew słowika, mówili:

– To jest jednak najpiękniejsze!

Podróżni po powrocie do domu opowiadali, co widzieli, uczeni pisali wiele książek o mieście, zamku i ogrodzie; nie zapominali też o słowiku i chwalili go najbardziej, a ci, którzy byli poetami, pisali piękne wiersze, wszystkie o słowiku śpiewającym nad głębokim jeziorem w lesie. Książki te czytano na całym świecie i niektóre z nich dostały się do rąk cesarza. Cesarz siedział na złotym tronie, czytał i czytał, a co pewien czas kiwał z zadowoleniem głową, kiedy opisywano miasto, zamek i ogród. „Ale słowik jest najpiękniejszy!", pisano w książkach.

– Co to jest? – zapytał cesarz. – Nie znam wcale tego słowika! Czy naprawdę taki ptak żyje w moim cesarstwie, i w dodatku w moim ogrodzie? Nigdy o tym nie słyszałem! Dowiaduję się o tym dopiero z książek!

I natychmiast zawołał swego marszałka; był on tak wytworny, że kiedy ludzie niżsi od niego pochodzeniem ośmielili się zadać mu jakieś pytanie, odpowiadał im tylko „p!", a to przecież nic nie znaczy.

– Podobno jest tu jakiś niezwykły ptak, który nazywa się słowik! – powiedział cesarz. – Podobno jest on najpiękniejszą rzeczą z całego mego wielkiego państwa! Dlaczego nikt mi nigdy o nim nic nie mówił?

– Nigdy o nim nie słyszałem! – odpowiedział marszałek. – Nie przedstawiono go nigdy u dworu!

– Chcę, żeby przyszedł dziś wieczorem i śpiewał przede mną! – powiedział cesarz. – Cały świat wie, co posiadam, tylko ja o tym nie wiem!

– Nigdy o nim nie słyszałem! – powiedział marszałek. – Będę go szukał i znajdę!

Ale gdzie go znaleźć? Marszałek biegał w górę i na dół po wszystkich schodach, przebiegał wszystkie sale i krużganki, ale nikt z napotkanych nie słyszał o słowiku. Wrócił więc marszałek do cesarza i powiedział, że to z pewnością bajka wymyślona przez tych, co napisali książki.

– Wasza cesarska mość niechaj nie wierzy temu, co piszą, bo to wszystko wymysły, po prostu czarna magia!

– Ależ kiedy książkę, w której to przeczytałem, przysłał mi potężny cesarz Japonii, więc musi zawierać prawdę. Chcę słyszeć słowika. Ma tu być dzisiaj wieczorem! Obdarzam go moją łaską! Musi przyjść! A jeżeli się nie zjawi, to każę moim ludziom deptać po brzuchach wszystkich dworzan, i to zaraz po kolacji!

– *Tsing pe!* – powiedział marszałek i zaczął znowu biegać po schodach na dół i w górę, i po wszystkich salach i krużgankach, a połowa dworzan biegała za nim, bo bynajmniej nie mieli ochoty, by im deptano po brzuchach. Więc wszędzie pytano o słowika, którego znał cały świat, ale nikt na dworze.

Wreszcie w kuchni znaleźli małą, biedną dziewczynkę, która powiedziała:

– Mój Boże, słowik! Znam go doskonale! Jakże cudnie śpiewa! Co wieczór wolno mi zabierać z kuchni trochę resztek, zanoszę je mojej biednej, chorej matce, która mieszka na wybrzeżu; a kiedy w nocy wracam od niej i zmęczę się, to kładę się w lesie i słucham słowika! Łzy płyną mi wówczas z oczu i jest mi tak, jak gdyby mnie matka całowała!

– Mała pomywaczko! – powiedział marszałek. – Dam ci stałą posadę w kuchni i pozwolę ci przyglądać się, jak cesarz jada, jeśli zaprowadzisz nas do słowika, bo dziś wieczorem muszę go tu mieć!

Poszli więc wszyscy do lasu, gdzie zwykle śpiewał słowik; pół dworu im towarzyszyło; po drodze usłyszeli ryk krowy.

– O! – powiedział jeden z dworzan. – Macie słowika! Ileż to siły w tak małym stworzeniu! Słyszałem go z całą pewnością już dawniej!

– Nie, to krowy ryczą! – powiedziała mała pomywaczka. – Jeszcze jesteśmy daleko od słowika.

Teraz żaby zarechotały w bagnisku.

– Cudownie! – powiedział chiński kapelan. – Nareszcie go słyszę. Śpiew jego brzmi jak dzwonki kościelne.

– Nie, to żaby! – powiedziała mała pomywaczka. – Ale myślę, że już wkrótce go usłyszymy!

W tej chwili słowik zaczął kląskać.

– To on! – powiedziała dziewczynka. – Słuchajcie! Słuchajcie! Oto tam siedzi! – i pokazała małego, szarego ptaszka wysoko na gałęzi.

– Czyż to możliwe! – zawołał marszałek. – Inaczej go sobie wyobrażałem! Jakże pospolicie wygląda! A może stracił swą barwę na widok tylu wytwornych osób?

– Słowiczku! – zawołała głośno dziewczynka. – Nasz łaskawy cesarz życzy sobie, abyś przed nim zaśpiewał!

– Z największą przyjemnością – powiedział słowik i zaśpiewał tak pięknie, że aż rozkoszą było go słuchać.

– Zupełnie szklane dzwoneczki! – powiedział marszałek. – A jak pracuje to małe gardziołko! To dziwne, żeśmy go nigdy przedtem nie słyszeli! Będzie miał wielki sukces na dworze!

– Czy mam raz jeszcze zaśpiewać dla cesarza? – spytał słowik, który myślał, że cesarz jest obecny.

– Mój cudny słowiczku! – powiedział marszałek. – Mam zaszczyt zaprosić cię na uroczystość dworską, na której oczarujesz jego cesarską mość twym zachwycającym śpiewem.

– Brzmi on co prawda najlepiej na tle drzew... – powiedział słowik, ale poleciał chętnie za nimi, gdyż słyszał, że taka jest wola cesarza.

Na zamku wszystko porządnie wyszorowano. Porcelanowe ściany i podłogi lśniły w blasku tysięcy złotych lamp; najpiękniejsze kwiaty, które umiały dzwonić, ustawiono w krużgankach i było tyle bieganiny i przeciągów, a dzwonki tak głośno dzwoniły, że tłumiło to wszelkie rozmowy. Pośrodku dużej sali, w której znajdował się cesarz, umieszczono złoty pręt i na nim miał siedzieć słowik. Cały dwór zebrał się w sali, a małej pomywaczce pozwolono stać pod drzwiami, bo teraz była już kucharką nadworną. Wszyscy w swych najwspanialszych szatach przyglądali się małemu, szaremu ptaszkowi, a cesarz skinął mu głową. A słowik śpiewał tak pięknie, że cesarzowi łzy stanęły w oczach, a gdy spłynęły mu po policzkach, słowik zaśpiewał jeszcze ładniej, tak że śpiew ten sięgał prosto do serca; cesarz cieszył się bardzo i powiedział, że zawiesi słowikowi swój złoty pantofel na szyi. Ale słowik podziękował i powiedział, że otrzymał już dostateczne wynagrodzenie.

– Widziałem łzy w oczach cesarza, a to jest dla mnie najdroższy skarb! Łzy cesarskie mają cudowną moc! Bóg świadkiem, że jestem dość nagrodzony! – i śpiewał dalej swym słodkim, cudownym głosem.

– Tak uroczej kokieterii nie spotkałyśmy jeszcze nigdy w życiu! – mówiły damy, a potem nabierały wody w usta i gdy ktoś do nich mówił, bulgotały i myślały, że są też słowikami. Cóż tu mówić! Nawet lokaje i pokojówki byli zadowoleni, a to dużo mówi, bo im najtrudniej dogodzić. Tak, słowik naprawdę zdobył powodzenie.

Miał zostać na zawsze przy dworze, mieszkać we własnej klatce i dwa razy dziennie i raz w nocy mógł wyfruwać na dwór. Dwunastu służących trzymało wówczas końce jedwabnych wstążek przywiązanych do jego nóżki. Taki spacer nie należał do przyjemności.

Całe miasto mówiło o niezwykłym ptaszku. Kiedy dwoje ludzi się spotykało, jeden mówił: „sło", a drugi „wik!"; potem wzdychali; rozumieli się doskonale. Jedenaścioro dzieci, właścicieli sklepików z delikatesami, nazwano jego imieniem! Ale żadne z nich nie umiało wydać ani jednej czystej nuty.

Pewnego dnia do cesarza nadeszła duża paczka, na której było napisane: „Słowik".

– Pewnie nowe dzieło o naszym sławnym ptaku! – powiedział cesarz; lecz nie była to książka, tylko małe arcydzieło zamknięte w pudełku. Był to sztuczny słowik, podobny do prawdziwego, ale cały wysadzany brylantami, rubinami i szafirami; wystarczyło go nakręcić, a śpiewał te same piosenki co żywy ptak i przy tym poruszał ogonem w dół i w górę i błyszczał cały, i świecił srebrem

i złotem, na szyi miał wstążeczkę, a na niej napis: „Słowik cesarza Japonii jest niczym wobec słowika cesarza Chin".

– Ach, jakie to piękne! – zachwycali się wszyscy, a ten, który przyniósł ptaka, otrzymał natychmiast tytuł: „cesarskiego naddostawcy słowików".

– Niech zaśpiewają razem! Cóż to będzie za cudowny duet!

Więc ptaki śpiewały razem. Ale nie szło im dobrze, bo prawdziwy słowik śpiewał na swój sposób, a sztuczny ptak gwizdał podług mechanizmu.

– To nie jego wina! – powiedział muzyk nadworny. – Ma świetne wyczucie taktu i śpiewa według mojej szkoły!

Więc sztuczny ptak miał śpiewać sam. Śpiew jego podobał się równie jak śpiew prawdziwego słowika, a on sam o ileż piękniej wyglądał! Błyszczał przecież cały jak bransolety i brosze.

Trzydzieści trzy razy prześpiewał ten sam kawałek i wcale się nie zmęczył; chciano go jeszcze słuchać, ale cesarz powiedział, że i żywy słowik musi coś zaśpiewać... Lecz gdzież on się podział? Nikt nie zwrócił uwagi, że słowik wyfrunął przez otwarte okno i poleciał do swych zielonych drzew.

– Cóż to znaczy? – zapytał cesarz; a wszyscy dworzanie ganili ptaka i mówili, że to niewdzięczne stworzenie. – Mamy przecież doskonalszego słowika! – mówili. I kazali mu znowu śpiewać; po raz trzydziesty czwarty usłyszeli tę samą melodię, ale nie umieli jej jeszcze powtórzyć, bo była bardzo trudna, i muzyk nadworny chwalił sztucznego ptaka, mówiąc, że przewyższa żywego słowika nie tylko swym ubiorem i brylantami, ale także i swą wewnętrzną wartością.

– Bo widzicie, moi państwo, a przede wszystkim ty, cesarzu, u prawdziwego słowika nigdy nie można przewidzieć, co nastąpi, a u sztucznego wszystko jest z góry określone! Tak będzie, a nie inaczej! Można wszystko objaśnić, można otworzyć mechanizm i pokazać, jak uczenie położone są walce, jak się kręcą sprężyny i jak co idzie za czym.

– Jesteśmy tego samego zdania! – zawołali wszyscy, a muzyk otrzymał pozwolenie na to, aby najbliższej niedzieli pokazać sztucznego ptaka ludowi.

– Niech także usłyszą, jak śpiewa! – rozkazał cesarz.

Słyszeli więc i byli tak uszczęśliwieni, jak gdyby się upili na wesoło herbatą, co jest prawdziwie chińskim obyczajem. Mówili wszyscy: „Och!" i podnosili w górę wskazujące palce, i kiwali głowami. Ale ubodzy rybacy, którzy słyszeli prawdziwego słowika, mówili:

– To brzmi pięknie, i nawet podobnie do tamtego, ale czegoś tu brak, nie wiemy tylko czego.

Prawdziwego słowika wygnano z kraju i z państwa.

Sztucznego ptaka posadzono na jedwabnej poduszce tuż przy łóżku cesarza, naokoło niego ułożono wszystkie dary, które otrzymał, złoto i drogie kamienie, dano mu tytuł „śpiewaka cesarskiej sypialni", i otrzymał rangę pierwszego stopnia z lewej strony; lewą stronę bowiem uważał cesarz za godniejszą, bo z lewej strony jest serce, nawet u cesarza. Muzyk nadworny napisał dwadzieścia pięć tomów o sztucznym słowiku; dzieło było tak uczone i tak długie, i tak pełne najtrudniejszych chińskich wyrazów, że wszyscy ludzie mówili, iż przeczytali je i zrozumieli; inaczej nazwano by ich głupcami i deptano by im po brzuchach.

Tak przeszedł cały rok. Cesarz, dwór i wszyscy Chińczycy umieli na pamięć każdy najmniejszy dźwięk śpiewu sztucznego ptaka, ale to im się właśnie podobało, bo mogli śpiewać razem z nim. Nawet ulicznicy nucili: „Zizizi! Gluk, gluk, gluk!". A cesarz śpiewał tak samo. To było cudowne!

Pewnego wieczora jednak, gdy sztuczny słowik śpiewał w najlepsze, a cesarz leżał w łóżku i słuchał, coś w ptaku chrupnęło „trach!", coś pękło „szurrrr!" i wszystkie kółka posypały się wokoło, a muzyka umilkła.

Cesarz wyskoczył natychmiast z łóżka i kazał zawołać nadwornego lekarza; ale cóż ten mógł pomóc! Wtedy zawołano zegarmistrza, który po długiej gadaninie i długim oglądaniu doprowadził ptaka nieco do porządku, ale powiedział, że trzeba go bardzo oszczędzać, bo tryby są wytarte, a nowych, takich, żeby dobrze grało, nie można sfabrykować. Było to wielkie zmartwienie. Raz tylko do roku nakręcano ptaka, i to już było za dużo. Ale wówczas muzyk nadworny wygłosił małą mowę, pełną wielkich słów, o tym, że wszystko jest jak dawniej – i wszystko było rzeczywiście jak dawniej.

Upłynęło pięć lat i cały kraj zasmucił się wielce, bo cesarz, którego Chińczycy bardzo w gruncie rzeczy kochali, zachorował i powiadano, że miał umrzeć; obrano już nowego cesarza, lud stał na ulicy przed pałacem i pytał marszałka, jak się stary cesarz miewa. „P!" – odpowiadał marszałek i potrząsał głową.

Zimny i blady leżał cesarz w swym wspaniałym łożu, cały dwór myślał, że już nie żyje; i jeden dworzanin za drugim wymykał się, by pozdrowić nowego cesarza; kamerdynerzy wyszli z sali na ploteczki, a pokojówki pałacowe zapraszały znajomych na herbatę. Wszystkie komnaty i krużganki wyłożono suknem, ażeby stłumić odgłosy kroków, i wszędzie było cicho, cicho! Ale cesarz jeszcze żył; leżał sztywny i blady w swym wspaniałym łożu przysłoniętym kotarami z aksamitu z ciężkimi, złotymi chwastami; wysoko pod sufitem jedno okno było otwarte i księżyc zaglądał przez nie, oświetlając cesarza i sztucznego ptaka.

Biedny cesarz ledwie oddychał, miał uczucie, jak gdyby coś usiadło mu na piersiach; otworzył oczy i zobaczył, że to była śmierć; siedziała na jego piersiach, włożyła na głowę jego złotą koronę, w jedną rękę wzięła złotą sza-

blę cesarza, w drugą jego wspaniałą chorągiew, a naokoło ze wszystkich fałd kotary wyglądały ku cesarzowi dziwne twarze, niektóre brzydkie, inne znów miłe i łagodne; były to złe i dobre uczynki cesarza, które patrzyły na niego, podczas gdy śmierć siedziała mu na sercu.

– Pamiętasz? – szeptały jedna za drugą. – Pamiętasz? – I opowiadały mu tyle, że aż pot spływał mu po czole.

– O tym nie wiedziałem – mówił cesarz. – Muzyka! Muzyka! Walcie w bęben chiński! Zagłuszyć to, co one tu mówią! – A one mówiły dalej i śmierć potakiwała głową, jak Chińczyk, na wszystko, co mówiono.

– Muzyka, muzyka! – krzyczał cesarz. – Mały, złoty ptaszku! Śpiewaj mi, śpiewaj! Podarowałem ci tyle złota i kosztowności; zawiesiłem ci nawet mój złoty pantofel na szyi; śpiewaj mi, śpiewaj!

Ale ptak milczał; nie było nikogo, kto by go nakręcił, a on sam nie umiał przecież śpiewać; śmierć tymczasem spoglądała na cesarza wielkimi, pustymi oczodołami i było cicho, tak przeraźliwie cicho. Nagle tuż za oknem zabrzmiał najpiękniejszy głos: to mały, żywy słowik usiadł na gałązce za oknem. Dowiedział się o tym, że jego cesarz potrzebuje pomocy, i przyleciał, by mu

śpiewem dodać otuchy i nadziei. A gdy śpiewał, bladły coraz bardziej i bardziej straszne postacie; krew zaczynała żywiej krążyć w słabym ciele cesarza i nawet śmierć, słuchając śpiewu, powiedziała:

– Śpiewaj, słowiczku, śpiewaj dalej.

– A dasz mi tę piękną, złotą szablę? Dasz mi wspaniałą chorągiew? Dasz mi koronę cesarza? – I śmierć po kolei oddawała każdą z kosztowności za jedną pieśń, a słowik śpiewał dalej o cichym cmentarzu, gdzie rosną białe róże, gdzie pachnie dziki bez, a trawa rozwija się, skraplana łzami tych, którzy żyją; wtedy śmierć poczuła nagle tęsknotę za swoim ogrodem i w kształcie białej, chłodnej mgły uniosła się za okno.

– Dzięki ci, dzięki – powiedział cesarz – mały ptaszku z nieba! Znam cię przecież dobrze! Wygnałem cię z mego państwa! A jednak odpędziłeś twym śpiewem złe moce od mego łoża, a śmierć z mego serca! Jakże ci mam podziękować?

– Wynagrodziłeś mnie już, cesarzu! – powiedział słowik. – Widziałem łzy w twoich oczach, kiedy śpiewałem przed tobą po raz pierwszy, a tego nie zapomnę ci nigdy! To są klejnoty, które radują serce śpiewaka; ale śpij teraz, obudź się silny i zdrów. Zaśpiewam ci coś jeszcze.

Zaśpiewał, a cesarz pogrążył się w słodką drzemkę. Ach, jaki łagodny, pokrzepiający był ten sen! Słońce świeciło przez okno, gdy obudził się zdrów i pełen sił. Z jego służby nikt jeszcze nie wrócił, bo myśleli, że cesarz nie żyje, ale słowik był przy nim i wciąż jeszcze śpiewał.

– Musisz zostać ze mną na zawsze! – powiedział cesarz – będziesz śpiewał wtedy tylko, gdy sam zechcesz, a sztucznego ptaka każę rozbić na tysiąc kawałków.

– Nie czyń tego – powiedział słowik – przecież zrobił tyle dobrego, ile mógł. Zatrzymaj go przy sobie jak dawniej! Nie mogę zbudować gniazdka mego i mieszkać w pałacu, ale pozwól mi przylatywać od czasu do czasu, gdy sam będę miał ochotę; będę wieczorami siadywał na gałązce za oknem i śpiewał ci pieśń, która napełni cię radością i dobrymi myślami! Będę śpiewał o szczęśliwych i o tych, którzy cierpią! Będę śpiewał o złym i dobrym, i o wszystkim, co ukryte jest przed twymi oczyma! Mały ptak zagląda wszędzie: do biednych rybaków, pod dach wieśniaków, do wszystkich, którzy z dala są od ciebie i twego dworu! Kocham twe serce więcej od twej korony, ale jednak korona ma w sobie czar świętości! Będę przylatywał, aby ci śpiewać! Tylko jedno musisz mi przyrzec!

– Wszystko – powiedział cesarz i wyprostował się w swych cesarskich szatach, w które sam się oblókł, a do serca przyciskał szablę okutą ciężkim złotem.

– O jedno tylko cię proszę! Nie mów nikomu, że masz małego ptaszka, który ci mówi o wszystkim. Tak będzie nam lepiej. – I słowik wyfrunął przez okno.

Służba weszła do sypialni, by popatrzeć na zmarłego cesarza. Stanęli jak wryci, a cesarz powiedział:

– Jak się macie?

Królowa śniegu
Baśń w siedmiu opowiadaniach

Opowiadanie pierwsze
w którym jest mowa o lustrze i okruchach

Posłuchajcie! Zaczynamy. Kiedy bajka się skończy, będziemy wiedzieli więcej, niż wiemy teraz, bo to był zły czarownik! Jeden z najgorszych, sam diabeł. Pewnego dnia wpadł w świetny humor, zrobił bowiem lustro, które posiadało tę właściwość, że wszystko dobre i ładne, co się w nim odbijało, rozpływało się na nic, a to, co nie miało żadnej wartości i było brzydkie, występowało wyraźnie i stawało się jeszcze brzydsze. Najpiękniejsze krajobrazy wyglądały w tym lustrze jak gotowany szpinak, najlepsi ludzie byli szkaradni albo stali na głowach bez tułowia. Twarze w tym lustrze były tak wykrzywione, że nie można ich było rozpoznać; ten, kto miał piegi, mógł być pewien, że pokryją mu cały nos i policzki.

Diabeł zaś uważał, że to było ogromnie zabawne. Skoro tylko przez głowę człowieka przeleciała jakaś zacna, dobra myśl, już twarz w lustrze wykrzywiała się, a diabeł-czarownik śmiał się ze swego sprytnego wynalazku. Wszyscy, którzy chodzili do szkoły diabła, gdyż założył czarcią szkołę, opowiadali na prawo i lewo, że stał się cud; uważali, że dopiero teraz będzie można dowiedzieć się, jak naprawdę wygląda świat i ludzie. Biegali wszędzie z lustrem i w końcu nie było ani jednego człowieka, ani jednego kraju, który by nie został w nim opacznie odbity. Przyszło im do głowy, by polecieć do nieba i zabawić się kosztem aniołów i Pana Boga. Im wyżej lecieli z lustrem, tym bardziej wszystko się wykrzywiało, zaledwie mogli je utrzymać, lecieli wyżej i wyżej, coraz bliżej aniołów i Boga; wtedy lustro zadrżało tak strasznie, że wypadło im z rąk na ziemię, gdzie rozprysło się na tysiące milionów, bilionów i jeszcze więcej okruchów. Teraz dopiero wyrządzili o wiele większą krzywdę niż przedtem, gdyż niektóre kawałki były mniejsze od ziarnka piasku i pofrunęły daleko w świat; gdy wpadły komuś do oka, tkwiły w nim, i wtedy człowiek ten widział wszystko na odwrót albo spostrzegał tylko to, co było w danym przedmiocie złe, gdyż każdy odłamek lustra miał tę samą właściwość co całe lustro; byli ludzie, którym taki odłamek wpadł do serca, i wtedy działo się coś okropnego: serce stawało się jak kawałek lodu. Niektóre kawałki szkła były takie duże, że zrobiono z nich szyby okienne, ale nie warto było patrzeć przez nie na przyjaciół; inne kawałki dostały się do okularów i źle się działo, kiedy ludzie nakładali te okulary, aby dobrze widzieć i dobrze sądzić; a Zły śmiał się, aż mu się brzuch trząsł, i to go przyjemnie łaskotało.

A w powietrzu unosiły się wciąż maleńkie okruchy lustra. I słuchajcie, co się stało!

Opowiadanie drugie
Chłopczyk i dziewczynka

Pośród wielkiego miasta, gdzie jest tyle domów i tyle ludzi, że nie ma dość miejsca, aby każdy miał swój mały ogródek, i dlatego większości ludzi musi wystarczyć doniczka z kwiatami, mieszkało dwoje biednych dzieci, które miały jednak ogród trochę większy niż doniczka. Nie byli bratem i siostrą, ale kochali się jak rodzeństwo. Ich rodzice mieszkali w dwóch domach przedzielonych wąską uliczką, w dwóch izdebkach na poddaszu; dachy domów stykały się prawie z sobą; tuż obok rynny w każdym domu widniało małe okienko, wystarczyło tylko przeskoczyć przez rynnę i już można było przejść z jednego okna do drugiego.

Rodzice mieli przed oknem drewnianą skrzynkę, w której sadzili pożyteczne warzywa i małe różane krzewy. Raz przyszło rodzicom na myśl, żeby postawić skrzynki w poprzek rynny, tak że sięgały prawie od jednego okna do drugiego i wyglądały jak dwie grządki. Pędy grochu zwieszały się ze skrzynek, a różane krzewy wypuszczały długie gałązki, wiły się dookoła okien i pochylały ku sobie; wyglądało to prawie jak brama triumfalna, pełna zieleni i kwiatów. Ponieważ skrzynki były bardzo wysoko, a nie wolno tam było się wdrapywać dzieciom, pozwolono im często wychodzić do siebie i siedzieć na małych stołeczkach pod różami; bawiły się tam świetnie.

W zimie kończyła się ta przyjemność, okna były często zupełnie zamarznięte; ale wtedy dzieci ogrzewały przy piecu miedziaki i przykładały je do zamarzniętych szyb, tak że robiła się świetna dziurka do patrzenia, taka okrągła, okrągła; przez tę dziurkę patrzyło kochane, miłe oko, przy każdym oknie jedno; byli to chłopczyk i dziewczynka. Chłopczyk nazywał się Kay, a dziewczynka Gerda. W lecie wystarczył jeden krok, i już byli razem, ale w zimie musieli wchodzić na tyle schodów i schodzić z tylu schodów, a na dworze padał śnieg.

– To roje białych pszczół! – powiedziała stara babka.

– Czy mają także królową? – spytał chłopczyk, bo wiedział, że prawdziwe pszczoły mają królową.

– Naturalnie, że mają! – powiedziała babka. – Fruwa tam, gdzie się najgęściej roją. Jest większa od innych i nigdy nie odpoczywa na ziemi, odlatuje z powrotem w czarne chmury. Czasami w zimowe noce przelatuje przez ulice miasta i zagląda do wszystkich okien, a wtedy okna te zamarzają tak dziwnie, jak gdyby się pokrywały kwiatami.

– Tak, to widzieliśmy! – wołały dzieci i teraz uwierzyły, że to była prawda.

– Czy Królowa Śniegu może tutaj przyjść? – spytała mała dziewczynka.

– Niech tylko spróbuje! – powiedział chłopiec. – Wtedy posadzę ją na gorącym piecu i roztopi się.

Ale babka pogładziła go po głowie i zaczęła opowiadać inne bajki.

Wieczorem, kiedy mały Kay kładł się już spać, wdrapał się na krzesło przy oknie i spojrzał przez małą dziurkę; właśnie spadło parę płatków śniegu i jeden z nich, największy, zawisł na brzegu skrzynki z kwiatami; rósł coraz bardziej i bardziej i w końcu przemienił się w kobietę ubraną w najdelikatniejszą białą gazę, utkaną jakby z miliona gwiaździstych płatków. Była piękna i zgrabna, ale cała z lodu, z olśniewającego, błyszczącego lodu, a jednak żyła: oczy patrzały jak dwie jasne gwiazdy, ale nie było w nich spokoju ani wytchnienia. Skłoniła się do okna i skinęła ręką. Chłopczyk przestraszył się i zeskoczył z krzesła; a wtedy zdawało mu się, że wielki ptak przeleciał obok okna.

Następnego dnia był silny mróz, a potem zrobiła się odwilż, a potem przyszła wiosna, słońce świeciło, ukazała się zieleń, jaskółki budowały gniazda, otworzono okna i dzieci siedziały znowu w swoim ogródku przy rynnie, wysoko ponad wszystkimi piętrami.

Tego lata róże kwitły niezwykle obficie; dziewczynka nauczyła się psalmu, w którym była mowa także i o różach, i wtedy pomyślała o swoich własnych kwiatkach; zaśpiewała ten psalm chłopczykowi, a on nucił razem z nią:

Róża przekwitła i minie,
Pójdź, pokłońmy się Dziecinie.

Dzieci trzymały się za ręce, całowały róże, patrzały w jasne słońce i mówiły do słońca jak do Dzieciątka Jezus. Cóż to były za cudne, letnie dni, jakże przyjemnie było siedzieć pomiędzy świeżymi krzewami róż, które, zdawało się, nigdy nie przestaną kwitnąć!

Kay i Gerda siedzieli i oglądali książkę z obrazkami, w której były malowane zwierzęta i ptaki. Wtem, gdy zegar na wielkiej wieży kościelnej wybił właśnie piątą, Kay zawołał:

– Coś mnie ukłuło w serce! O, a teraz coś mi wpadło do oka!

Dziewczynka objęła go za szyję, chłopczyk mrugał oczami: nie, nic nie było widać!

– Pewnie już wyleciało! – powiedział, ale nie wyleciało. Był to właśnie jeden z tych odłamków szkła, na które rozpadło się lustro, czarodziejskie lustro, wiemy przecież, to wstrętne lustro, które wszystko, co wielkie i ładne, odbijało jako małe i brzydkie, podczas gdy to, co było brzydkie i złe, występowało wyraźnie i każdą wadę można było od razu zauważyć. Biedny Kay! Do jego serca wpadł także taki odłamek. Za chwilę to serce przemieni się w grudkę lodu. Teraz już przestało boleć, ale odłamek tkwił w sercu.

– Dlaczego płaczesz? – spytał. – Tak brzydko wyglądasz! Nic mi przecież nie jest! Fe! – zawołał nagle. – Tę różę toczy robak! A patrz, tamta jest zupełnie krzywa. Właściwie te róże są brzydkie. Tak samo jak te skrzynie, w których stoją! – Kopnął nogą skrzynię i zerwał obie róże.

– Kay, co ty robisz?! – zawołała dziewczynka, a on, widząc jej przerażenie, zerwał jeszcze jedną różę i pobiegł do swego okna, zostawiając małą, milutką Gerdę samą.

Kiedy potem przyszła do niego z książką z obrazkami, powiedział, że to dobre dla niemowląt; a kiedy babka opowiadała bajki, miał im zawsze coś do zarzucenia albo stawał za babką, kładł okulary i przedrzeźniał ją; a udawało mu się to tak dobrze, że ludzie śmiali się z tego. Wkrótce nauczył się naśladować mowę i chód wszystkich ludzi na całej ulicy. Potrafił pokazywać wszystko, co w nich było niezwykłego i brzydkiego, a ludzie mówili: „Ten chłopiec jest bardzo zdolny!". Ale sprawiło to szkło, które mu wpadło do oka, szkło tkwiące w jego sercu, i dlatego dokuczał nawet małej Gerdzie, która była do niego przywiązana całą duszą.

Jego zabawy zmieniły się teraz całkowicie; stały się takie mądre. Pewnego zimowego dnia, kiedy prószył śnieg, przyniósł sobie wielkie powiększające szkło, rozpostarł połę swego granatowego płaszczyka i zgarnął na nią płatki śniegu.

– Spójrz no w szkło, Gerda! – powiedział.

Każdy płatek śniegu powiększał się w szkle i wyglądał jak piękny kwiat lub sześciokątna gwiazda; był to wspaniały widok.

– Widzisz, jakie to artystyczne! – mówił Kay. – To o wiele ciekawsze od prawdziwych kwiatów! Te kwiaty nie mają żadnych wad, są doskonałe, o ile tylko się nie roztopią.

Po chwili zjawił się z wielkimi rękawicami i małymi saneczkami na plecach; krzyknął Gerdzie w samo ucho:

– Idę na wielki plac, gdzie inni chłopcy się bawią! – i poszedł.

Na placu najśmielsi chłopcy przywiązywali często swoje saneczki do chłopskiego wozu i jechali w ten sposób spory kawał drogi. Było to bardzo wesołe. Kiedy się w najlepsze bawili, nadjechały jakieś wielkie sanie; były pomalowane całe na biało, a w środku siedział ktoś otulony w białe futro i w białej, futrzanej czapce; sanie objechały plac dwa razy dookoła.

Kay przywiązał do nich szybko swoje saneczki i jechał za dużymi saniami; jechali coraz prędzej i prędzej, prosto przed siebie w najbliższą ulicę; osoba, która siedziała w saniach, odwróciła się, kiwnęła przyjaźnie do Kaya głową, zupełnie tak, jakby się znali od dawna; za każdym razem, kiedy Kay chciał odwiązać swoje saneczki, osoba znowu do niego kiwała i Kay zostawał; wyjechali za bramę miasta, wtedy śnieg zaczął tak sypać, że chłopiec, jadąc dalej, nie widział nawet ręki, którą trzymał przed oczami; puścił prędko sznur od saneczek, by się uwolnić od wielkich sań, ale to nie pomogło, jego małe saneczki przywiązane były mocno i jak wiatr pędziły naprzód.

Wtedy zaczął głośno wołać, ale nikt go nie słyszał, śnieg padał, saneczki mknęły szybko; od czasu do czasu podskakiwały, tak jakby jechały przez rowy i płoty. Kay był bardzo przestraszony, chciał zmówić „Ojcze nasz", ale mógł sobie przypomnieć tylko tabliczkę mnożenia.

Płatki śniegu stawały się coraz większe i większe i w końcu wyglądały jak duże białe kury; nagle odskoczyły na bok, wielkie sanie zatrzymały się i osoba, która w nich jechała, wyprostowała się, jej futro i czapka były całe ze śniegu, a ona sama była damą smukłą i wysoką, jaśniejącą bielą – Królową Śniegu!

– Zrobiliśmy ładny kawał drogi – powiedziała – ale po co marznąć? Otul
się moim niedźwiedzim futrem. – Posadziła go obok siebie w saniach i otuliła go futrem; było mu tak, jakby pogrążył się w śnieżnej zaspie.

– Czy zimno ci jeszcze? – spytała i pocałowała go w czoło. Pocałunek był
zimniejszy od lodu, dotarł prosto do serca, które już i tak na pół zlodowa-
ciało; było mu tak, jak gdyby miał umrzeć; ale tylko przez chwilę, potem
zrobiło mu się dobrze; nie czuł już zimna.

– Moje saneczki! Nie zapomnij o moich saneczkach! – o tym pomyślał
przede wszystkim; saneczki przywiązano do jednej z białych kur, która pofrunęła, niosąc je na grzbiecie. Królowa Śniegu pocałowała Kaya jeszcze raz,
i wtedy zapomniał o małej Gerdzie, o babce i o wszystkich w domu.

– Teraz już cię więcej nie pocałuję – powiedziała – bo zacałowałabym
cię na śmierć!

Kay spojrzał na nią; była bardzo ładna; nie mógł sobie wyobrazić mą-
drzejszej i piękniejszej twarzy; teraz nie wydawała mu się już z lodu, jak
przedtem, kiedy ją widział za oknem, gdy kiwała do niego; w jego oczach
była doskonałością, nie bał się wcale, opowiedział jej, że potrafi rachować
z pamięci i nawet z ułamkami, że wie, ile kwadratowych mil liczy kraj i ile
ma kraj mieszkańców; a ona uśmiechała się bez przerwy. Wtedy pomyślał
sobie, że wie jeszcze za mało, i spojrzał w wielką, wielką przestrzeń, a ona
leciała z nim wysoko ponad czarnymi chmurami, wicher szumiał i wył, tak
jakby śpiewał stare pieśni. Lecieli ponad lasem i jeziorami, nad morzem
i lądem; daleko pod nimi gwizdał zimny wiatr, wyły wilki, śnieg iskrzył się,
wyżej leciały czarne, kraczące wrony, a nad wszystkim wysoko w górze księżyc jasno świecił i Kay patrzył nań przez całą długą zimową noc; w dzień zaś
spał u stóp Królowej Śniegu.

Opowiadanie trzecie
Kwietny ogród kobiety, która umiała czarować

Ale co się działo z małą Gerdą, gdy Kay nie wracał? Co się z nim stało? Nikt nie wiedział. Nikt nie umiał tego wyjaśnić. Chłopcy opowiedzieli tylko, że widzieli, jak przywiązał swoje saneczki do dużych, wspaniałych sań, które pojechały ulicą i wyjechały za bramę miasta. Nikt nie wiedział, gdzie Kay się podział. Popłynęło wiele łez, mała Gerda płakała gorąco i długo. Potem powiedziano, że umarł, że utonął w rzece, która przepływała tuż obok miasta; o, cóż to były za długie, ciemne zimowe dni. Aż wreszcie przyszła wiosna i ciepłe promienie słońca.

– Kay umarł i nie ma go! – powiedziała mała Gerda.

– Nie wierzę... – odrzekł słoneczny promień.

– Umarł i nie ma go – powiedziała Gerda do jaskółek.

– Nie wierzymy temu – odrzekły ptaki. I w końcu mała Gerda sama przestała w to wierzyć.

– Włożę moje nowe, czerwone buciki – powiedziała jednego ranka. – Kay nie widział ich jeszcze; pójdę do rzeki i spytam o niego.

Był bardzo wczesny ranek; pocałowała starą babkę, która jeszcze spała, włożyła czerwone buciki i poszła zupełnie sama za bramę miasta, aż nad brzeg rzeki.

– Czy to prawda, że zabrałaś mi mojego małego towarzysza zabaw? Podaruję ci moje czerwone trzewiki, o ile mi go oddasz!

I wydawało jej się, że fale patrzyły na nią tak dziwnie; wtedy zdjęła swoje czerwone trzewiki, to, co miała najmilszego, i rzuciła je do rzeki; ale upadły tuż obok brzegu i fale zaniosły je z powrotem na ląd, tak jak gdyby rzeka, nie mogąc zwrócić Gerdzie Kaya, nie chciała jej zabrać tego, co najbardziej lubiła; dziewczynce zdawało się, że za blisko brzegu rzuciła trzewiki, więc weszła do łódki, która stała w sitowiu, poszła na najdalszy jej koniec i wrzuciła raz jeszcze trzewiki do wody, ale łódka nie była mocno przywiązana i na skutek ruchów dziewczynki zakołysała się i odbiła od brzegu. Gerda spostrzegła to i chciała szybko wysiąść, ale nie zdążyła, łódka oddaliła się od brzegu i popłynęła szybko naprzód.

Wtedy mała Gerda przestraszyła się bardzo i zaczęła płakać, ale nikt jej nie słyszał prócz wróbli, a te nie mogły jej zanieść na ląd, leciały tylko wzdłuż brzegu i ćwierkały tak, jakby ją chciały pocieszyć: „Oto jesteśmy!". Łódka gnała z prądem; mała Gerda siedziała zupełnie spokojnie w pończoszkach, czerwone trzewiki płynęły za nią, ale nie mogły dogonić łódki, którą prąd szybko unosił.

Na obu brzegach było ślicznie, rosły tam piękne kwiaty, stare drzewa i ciągnęły się zbocza, na których pasły się owce i krowy, ale nigdzie nie było widać człowieka.

„Może rzeka zaniesie mnie do małego Kaya" – myślała Gerda i ta myśl ją pocieszyła. Wyprostowała się i przez długie godziny patrzała na zielony brzeg; potem przypłynęła do dużego wiśniowego sadu, wśród którego widać było mały domek z dziwnymi, czerwonymi i niebieskimi oknami i słomianym dachem; przed domkiem stało dwóch drewnianych żołnierzy, prezentujących broń przed każdym, kto przepływał obok.

Gerda zawołała do nich; myślała, że są żywi, ale oni, rozumie się, nic nie odpowiedzieli; podpłynęła do nich zupełnie blisko, prąd rzeki zaniósł łódkę do samego brzegu.

Gerda krzyknęła jeszcze głośniej, wtedy z domku wyszła kobieta opierająca się na zakrzywionym kosturze; miała duży kapelusz, pomalowany w najpiękniejsze kwiaty.

– Biedna dziecino! – powiedziała. – Jakże się dostałaś na tę dużą, bystrą rzekę, w tak daleki świat? – Potem kobieta weszła aż do wody, zaczepiła kostur o łódkę, przyciągnęła ją na brzeg i wyniosła z niej małą Gerdę.

A Gerda była zadowolona, że jest znowu na lądzie, tylko że bała się trochej tej obcej kobiety.

– Chodź, opowiedz mi, kim jesteś i jak się tu dostałaś! – powiedziała kobieta.

I Gerda opowiedziała jej wszystko; a kobieta kręciła głową i mówiła: „Hm! Hm!". A kiedy Gerda skończyła opowiadać i spytała ją, czy nie widziała małego Kaya, kobieta odparła, że nie przechodził jeszcze tędy, ale że na pewno przyjdzie. Gerda nie powinna się smucić, tylko skosztować jej wisienek i obejrzeć jej kwiaty, są piękniejsze od wszystkich książek z obrazkami, każdy z nich potrafi opowiedzieć bajkę. Wzięła Gerdę za rękę i poszły do małego domku, a kobieta zamknęła drzwi.

Okna były wysoko w górze, a szyby miały czerwone, niebieskie i żółte; światło dzienne przeświecało przez te szyby tak cudnie i mieniło się wszystkimi barwami, a na stole stały najpiękniejsze wiśnie i Gerda jadła tyle, ile chciała, bo jej było wolno. Podczas gdy jadła, kobieta czesała jej włosy złotym grzebieniem i włosy kręciły się w pierścienie, otaczając złotą aureolą małą, miłą twarzyczkę, okrągłą i świeżą jak róża.

– Już od dawna tęskniłam do takiej uroczej, małej dziewczynki! – powiedziała. – Zobaczysz, jak nam będzie dobrze razem! – I podczas gdy czesała włosy małej Gerdy, dziewczynka zapominała coraz bardziej o swoim przybranym braciszku; bo staruszka umiała czarować, ale nie była złą czarownicą, czarowała tylko troszeczkę, dla własnej przyjemności; i tak bardzo chciała zatrzymać małą Gerdę. Dlatego poszła do ogrodu i dotknęła kijem wszystkich różanych krzewów, nawet tych, które najpiękniej kwitły, a one zapadły się głęboko w czarną ziemię i nikt nie mógł się domyślić, że tu rosły. Staruszka bała się, że kiedy Gerda zobaczy róże, pomyśli o swoich różach, a wtedy przypomni sobie małego Kaya i ucieknie od niej.

Potem zaprowadziła Gerdę do ogrodu. Jakżeż tam pachniało i jak tam było pięknie! Wszystkie kwiaty, jakie tylko rosną o każdej porze roku, rozkwitały tu wspaniale; żadna książka z obrazkami nie mogła być barwniejsza i piękniejsza. Gerda skakała z radości i bawiła się, dopóki słońce nie zaszło pomiędzy wysokimi wiśniami, potem ułożyła się w ślicznym łóżku

z czerwonymi, jedwabnymi poduszkami, haftowanymi w fiołki, zasnęła i śniła jak królowa w dniu wesela.

Następnego dnia mogła znowu bawić się kwiatami w ciepłych promieniach słońca; tak przeszło wiele dni. Gerda znała każdy kwiat, ale chociaż tyle ich było, jednak wydawało jej się, że jednego brak, nie wiedziała tylko jakiego. Pewnego dnia siedziała i oglądała kapelusz kobiety z wymalowanymi kwiatami. Najpiękniejszym z nich była róża. Kobieta zapomniała usunąć ją z kapelusza, podczas gdy inne, żywe róże zagrzebała w ziemi. Tak zwykle bywa, gdy się jest roztargnionym.

– Co?! – zawołała Gerda. – Czyż tu nie ma wcale róż?

I skoczyła pomiędzy grządki; szukała, szukała, ale róży nie znalazła, więc usiadła i rozpłakała się; jej gorące łzy upadły właśnie na to miejsce, gdzie zakopane było różane drzewko, i kiedy łzy zrosiły ziemię, drzewko wystrzeliło kwitnące tak samo jak wówczas, gdy zapadło się w ziemię; Gerda objęła je, całowała róże i potem przypomniała sobie piękne róże w domu, a wraz z nimi i małego Kaya.

– Ach, jakże się tu zasiedziałam! – powiedziała dziewczynka. – Chciałam przecież szukać Kaya. Czy nie wiecie, gdzie on jest? – spytała róż. – Czy myślicie, że umarł i że go już nie ma?

– Nie umarł! – odpowiedziały róże. – Byłyśmy przecież w ziemi, tam są wszyscy umarli, ale Kaya tam nie było!

– Dziękuję wam bardzo! – powiedziała mała Gerda i poszła do innych kwiatów, zajrzała w ich kielichy i spytała: – Czy nie wiecie, gdzie jest mały Kay?

Ale kwiaty stały sobie w słońcu i każdy z nich śnił swoją baśń lub historię, mała Gerda wysłuchała ich dużo, ale w żadnej z nich nie było mowy o Kayu. Co opowiedziała płomienna lilia?

– Czy słyszysz bęben: bum, bum! Tylko dwa tony, zawsze bum, bum! Słuchaj żałobnej pieśni kobiety, słuchaj wołania kapłana. Żona Hindusa stoi w długiej czerwonej szacie na stosie, płomienie obejmują ją i jej umarłego męża; ale żona Hindusa myśli o żywym tu w orszaku, o nim, którego oczy goręcej palą niż płomień, o tym, którego żar oczu bardziej dosięga jej serca niż płomienie, co wkrótce spalą jej ciało na popiół. Czyż płomień serca może umrzeć w płomieniach na stosie?

– Nie rozumiem tego wcale! – powiedziała mała Gerda.

– To moja baśń! – odrzekła płomienna lilia.

Co opowiedział powój?

– Nad wąską, górską ścieżką wznosi się stary zamek. Gęsty bluszcz obrasta czerwone mury, liść przy liściu oplata balkon; stoi tam śliczna dziewczyna, wychyla się poza sztachety i patrzy na drogę. Róża zwieszająca się z gałęzi nie jest od niej świeższa. Kwiat jabłoni strząśnięty przez wiatr z drzewa nie jest tak lekki jak ona; jakże szumi jej wspaniała, jedwabna szata! Czyż on nie przyjdzie?

– Czy myślisz o Kayu? – spytała mała Gerda.

– Opowiadam tylko moją baśń, mój sen! – odrzekł powój.

Co opowiedział mały pierwiosnek?

– Pomiędzy drzewami wisi na sznurach długa deska; to huśtawka; dwie śliczne, małe dziewczynki, w sukniach białych jak śnieg i długich, powiewających, zielonych wstążkach przy kapeluszach, siedzą i bujają się; brat jest starszy od nich, stoi wyprostowany na huśtawce, ramię owinął sobie sznurem, aby się utrzymać, bo w jednej ręce trzyma małą miseczkę, a w drugiej białą rurkę i puszcza bańki mydlane, huśtawka się buja, bańki mydlane lecą, ostatnia, o cudnych tęczowych barwach, wisi jeszcze na rurce i kołysze się na wietrze; huśtawka buja się; mały czarny piesek, lekki jak mydlana bańka, podnosi się na tylne łapki i chce wejść na huśtawkę; huśtawka wznosi się, pies upada, szczeka i złości się; drażnią go rozpryskujące się bańki, kołysząca się deska, piana – oto moja pieśń!

– Może to jest ładne, co opowiadasz, ale mówisz to tak smutno i nie wspominasz wcale o Kayu!

Co mówią hiacynty?

– Pewnego razu były trzy siostry, przezroczyste i delikatne; jedna miała suknię czerwoną, druga niebieską, a trzecia – białą! Tańczyły, trzymając się za ręce, nad jeziorem przy blasku księżyca. Nie były to elfy, ale dzieci. Pachniało tak słodko i dziewczynki zniknęły w lesie – zapach stawał się coraz silniejszy – trzy trumny, w których leżały trzy piękne dziewczynki, wysunęły się z gęstwiny na brzeg jeziora; świętojańskie robaczki krążyły, błyszcząc jak małe, kołyszące się światełka. Czy te tańczące dziewczynki zasnęły, czy też umarły? Zapach kwiatów mówi, że nie żyją; wieczorny dzwon wydzwania im pogrzebowy śpiew!

– Strasznie mnie zasmucacie! – powiedziała mała Gerda. – Pachniecie tak mocno, że muszę myśleć o umarłych dziewczynkach: ach, czy naprawdę mały Kay nie żyje? Róże były pod ziemią i mówiły, że go tam nie ma!

– Bim, bam! – dzwoniły dzwoneczki hiacyntów. – Nie dzwonimy dla małego Kaya, nie znamy go przecież. Śpiewamy tylko naszą piosenkę, jedyną, jaką znamy!

Gerda podeszła do kaczeńca, który świecił wśród zielonych, błyszczących liści.

– Jesteś małym, jasnym słoneczkiem – rzekła Gerda. – Powiedz mi, czy wiesz, gdzie mogłabym znaleźć mego towarzysza zabaw?

A kaczeniec błyszczał tak ładnie i także patrzył na Gerdę. A potem zaśpiewał swoją pieśń. Ale i ta pieśń nie była o Kayu.

– W małym podwórku pierwszego dnia wiosny świeciło gorąco kochane słońce; promienie ześlizgiwały się po białym murze sąsiedniego domu, tuż obok rosły pierwsze żółte kwiaty, połyskujące jak złoto w blasku ciepłego słońca, stara babka siedziała na dworze w fotelu, wnuczka, uboga śliczna dziewczynka, przyszła do domu, pocałowała babkę. W jej serdecznym pocałunku było złoto, szczere złoto. „Złote usta, złota dziewczyna i złota poranku godzina!". Oto moja krótka baśń – powiedział kaczeniec.

– Moja biedna stara babcia – westchnęła Gerda. – Na pewno za mną tęskni i martwi się o mnie i o małego Kaya. Ale wrócę wkrótce do domu i przyprowadzę go z sobą. Nie mam po co pytać kwiatów, każdy z nich zna tylko swoją własną baśń, nie dadzą mi żadnych wskazówek. – I podwiązała sukienkę, aby móc prędzej biegać; ale narcyz uderzył ją po nodze, kiedy przez niego przeskakiwała, więc zatrzymała się, spojrzała na wysmukły kwiat i spytała, pochylając się nad nim:

– Czy powiesz mi coś wreszcie?

Cóż powiedział narcyz?

– Widzę samego siebie! Widzę samego siebie! O, jakże pachnę! Wysoko w małym pokoiku na poddaszu stoi na pół ubrana mała tancerka, stoi to na jednej nodze, to na dwóch, depcze nogami cały świat i tyle że wszystkich olśniewa. Z imbryczka do herbaty nalewa wody na gorsecik, który trzyma w ręku. Czystość jest piękną rzeczą! Biała suknia wisi na wieszadle, i ona też została uprana w imbryczku, i wisi, schnie na dachu. Kładzie ją na siebie, szafranowym szalem owiązuje szyję, wtedy suknia połyskuje jeszcze śnieżniejszą bielą. Noga podniesiona. Patrz, jak ona krąży na jednej nodze! Widzę samego siebie. Widzę samego siebie!

– Nic mnie to nie obchodzi – powiedziała Gerda. – Po co mi to opowiadasz? – I pobiegła na kraniec ogrodu.

Furtka była zamknięta, ale dziewczynka potrząsnęła zardzewiałym zamkiem, a wtedy furtka odskoczyła i mała Gerda pobiegła boso w daleki świat. Obejrzała się trzy razy, ale nikogo za nią nie było; w końcu nie mogła już dłużej biec, usiadła na dużym kamieniu. Kiedy się rozejrzała, zobaczyła, że lato już przeszło, była późna jesień, nie spostrzegła tego wcale tam, w wielkim ogrodzie, gdzie było tyle słońca i kwiaty kwitły o wszystkich porach roku.

– Mój Boże, jakże się zasiedziałam – powiedziała mała Gerda. – Przecież już jest jesień. Teraz nie wolno mi odpoczywać. – Wstała, aby pójść dalej.

O, jakże obolałe i zmęczone były jej nóżki! Naokoło było tak zimno i pusto. Podłużne wierzbowe listki pożółkły zupełnie, mgła spływała z nich kroplami wody, jeden listek za drugim opadały na ziemię, tylko tarnina była pokryta owocami, i to takimi kwaśnymi, że cierpły od nich usta. O, jakże szaro i smutno było na dalekim świecie!

Opowiadanie czwarte
Książę i księżniczka

Gerda musiała znowu odpocząć. Naprzeciw miejsca, gdzie siedziała, sfrunęła na śnieg duża wrona; przyglądała się dziewczynce i kręciła głową.

– Kra, kra – powiedziała. – Dź dobr. Dź dobr!

Lepiej nie umiała wymawiać, ale odniosła się życzliwie do małej dziewczynki i spytała ją, dokąd to idzie taka sama w daleki świat. Słowo „sama" zrozumiała bardzo dobrze mała Gerda i czuła, ile w tym się zawierało treści, opowiedziała wronie swoje całe życie, wszystko, co przeżyła, i spytała, czy nie widziała Kaya. A wrona kiwnęła w zamyśleniu głową i powiedziała:

– To możliwe, to bardzo możliwe, to bardzo możliwe!

– Naprawdę? – pytała mała dziewczynka i całowała wronę tak, że o mało nie zadusiła jej na śmierć.

– Spokojnie, spokojnie – powiedziała wrona. – Myślę, że to mógł być mały Kay! Ale na pewno zapomniał o tobie przy księżniczce.

– Czy on mieszka u księżniczki? – spytała Gerda.

– Tak, posłuchaj – powiedziała wrona – ale będzie mi trudno mówić twoim językiem. Czy rozumiesz wroni język? Byłoby mi łatwiej opowiadać.

– Nie, nie uczyłam się go – powiedziała Gerda – ale babka zna ten język i język i innych ptaków też. Gdybym to ja się go nauczyła!

– Nic nie szkodzi – rzekła wrona. – Opowiem, jak potrafię, ale nie będzie to dobrze opowiedziane! – I zaczęła mówić to, co wiedziała.

– W państwie, w którym teraz jesteśmy, mieszka księżniczka; jest tak niebywale mądra, że przeczytała wszystkie gazety świata, a potem zapomniała to, co przeczytała, taka jest mądra. Teraz siedzi na tronie, ale podobno to wcale nie jest takie przyjemne, więc zaczęła śpiewać taką piosenkę: „Dlaczegóż bym nie miała wyjść za mąż! Naprawdę, to dobra myśl". Tak, postanowiła wyjść za mąż, ale za takiego, który potrafiłby odpowiedzieć na zadane mu

pytania, nie takiego, co tylko stoi i wytwornie wygląda, bo to jest nudne. I księżniczka zawołała wszystkie damy dworu, a kiedy usłyszały, o co chodzi, były bardzo zadowolone. „To się nam nadzwyczajnie podoba - powiedziały. - Myślałyśmy o tym niedawno!". Możesz mi wierzyć, że każde słowo, które mówię, jest prawdą - dodała wrona. - Mam oswojoną narzeczoną, która wchodzi swobodnie do zamku, i ona mi to wszystko opowiedziała!

Narzeczona była naturalnie także wroną, gdyż swój ciągnie do swego, czyli wrona do wrony!

- Tego dnia gazety wyszły z obwódką w kształcie serc i z podpisem księżniczki, można w nich było przeczytać, że każdy dobrze prezentujący się młodzieniec może przyjść na zamek i rozmawiać z księżniczką, a ten, który będzie się tam zachowywał tak jak u siebie w domu i będzie najmądrzej mówił, zostanie mężem księżniczki.

- Tak, tak - powiedziała wrona - wszystko, co mówię, to święta prawda. Więc ludzie ciągnęli gromadnie, był tłok i ścisk, ale nikomu nie poszczęściło się ani pierwszego dnia ani drugiego.

Kiedy wszyscy razem stali na ulicy, rozmawiali swobodnie, ale gdy tylko wchodzili w bramę zamkową, tracili głowy na widok gwardii w srebrze, lokajów w złocie na schodach, wielkich oświetlonych sal; stali przed tronem, na którym siedziała księżniczka, i nie umieli nic powiedzieć prócz ostatniego słowa przez nią wymówionego, a jej nie zależało przecież na tym, aby usłyszeć powtórzone własne słowa. Miało się wrażenie, że ci ludzie zażyli tabaki na czczy żołądek i zapadli w sen, dopóki nie znaleźli się znowu na ulicy, gdzie odzyskiwali mowę. Od bram miasta aż do zamku stał długi ogon. Ja sam tam byłem, aby się im przyjrzeć - dodała wrona. - Czuli już głód i pragnienie, ale na zamku nie dostali nawet szklanki wody. Wprawdzie niektórzy mądrzejsi zabrali z sobą zapasy, ale nie dzielili się ze swym sąsiadem; myśleli sobie:

„Niech wygląda na głodomora, to wtedy księżniczka go nie weźmie!".

– A Kay? Mały Kay? – spytała Gerda. – Kiedy on przyszedł? Czy był między nimi wszystkimi?

– Miej cierpliwość! – powiedziała wrona. – Zaraz do niego dojdziemy. Było to trzeciego dnia, na zamek przyszedł mały chłopiec bez konia i bez pojazdu, szedł wesoło, oczy błyszczały mu jak twoje, miał prześliczne długie włosy, ale był ubogo ubrany.

– To był Kay! – cieszyła się Gerda. – Ach, nareszcie go znalazłam! – I klasnęła w ręce.

– Na plecach miał mały tornister – opowiadała wrona.

– Nie, to były pewnie jego sanki – zauważyła Gerda. – Zniknął z sankami!

– To możliwe! – powiedziała wrona. – Tak dokładnie nie widziałem. Ale

wiem od mojej oswojonej narzeczonej, że kiedy przechodził przez zamkowe wrota i zobaczył srebrną gwardię i lokajów w złocie na schodach, zupełnie się nie zmieszał, skinął do nich głową i mówił: „Jakże to musi być nudno tak stać na schodach, lepiej wejdę do środka".

Sale błyszczały od świateł, radcy i ministrowie chodzili boso i roznosili złote półmiski; nastrój był uroczysty. Buciki tego chłopca skrzypiały okropnie, ale on nic sobie z tego nie robił.

– To na pewno był Kay! – zawołała Gerda. – Wiem, że ma nowe buciki; słyszałam w pokoju babci, jak skrzypiały!

– Tak, skrzypiały porządnie – powiedziała wrona. – Chłopiec z uradowaną miną poszedł wprost do księżniczki, która siedziała na perle tak wielkiej jak kołowrotek; wszystkie damy dworu ze swymi służebnymi i służebne służebnych, i wszyscy marszałkowie dworu ze swymi paziami i służącymi paziów, którzy mieli swoich chłopców na posyłki, wszyscy stali dookoła i im który stał bliżej drzwi, tym dumniej wyglądał. Twarz pachołka sługi służącego zaledwie można było dojrzeć, tak dumnie stał w drzwiach!

– To musiało być straszne! – powiedziała mała Gerda. – A jednak Kay zdobył księżniczkę?

– Gdybym nie był wroną, zdobyłbym ją również, nie bacząc na to, że jestem zaręczony. On mówił równie dobrze jak ja, kiedy mówię wronim językiem, wiem to od mojej oswojonej narzeczonej. Był swobodny i miły i wcale nie przyszedł po to, aby starać się o jej rękę, przyszedł jedynie, aby posłuchać mądrości księżniczki; spodobała mu się i on jej spodobał się także!

– Tak, to był na pewno Kay – powiedziała Gerda. – Był taki mądry, że potrafił rachować z pamięci, i to z ułamkami. Ach, czy zaprowadzisz mnie na zamek?

– To łatwo powiedzieć – odparła wrona – ale jak to zrobimy? Pomówię o tym z moją oswojoną narzeczoną; na pewno nam poradzi; bo muszę ci powiedzieć, że takiej małej dziewczynki jak ty nie puszczą nigdy do pałacu!

– A jednak się tam dostanę – powiedziała Gerda. – Gdy Kay usłyszy, że ja tu jestem, zaraz przyjdzie i mnie zabierze!

– Czekaj na mnie przy sztachetkach! – powiedziała wrona, pokiwała głową i odleciała.

Dopiero kiedy nadszedł wieczór, wrona wróciła z powrotem.

– Kra, kra! – powiedziała. – Dużo pozdrowień od mojej narzeczonej, a oto bułeczka dla ciebie, wziąłem ją z kuchni, tam jest dość chleba, a ty jesteś na pewno głodna. To zupełnie niemożliwe, abyś weszła do pałacu, jesteś przecież bosa, srebrna gwardia i lokaje w złocie nie pozwalają na to, ale nie płacz, jakoś wejdziemy. Moja narzeczona zna pewne tylne schody prowadzące do sypialnych pokojów i wie, gdzie można znaleźć klucze!

Weszły więc do ogrodu, w wielką aleję, gdzie z drzew spadały liście; kiedy w pałacu jedne za drugimi pogasły światła, wrona zaprowadziła małą Gerdę do tylnych drzwi, które były uchylone.

O, jakże biło serce Gerdy ze strachu i tęsknoty! Zupełnie tak, jakby chciała zrobić coś złego, a przecież pragnęła tylko wiedzieć, czy tu był mały Kay: tak, musi tam być; myślała z takim przejęciem o jego mądrych oczach, o jego długich włosach, widziała wyraźnie jego uśmiech, kiedy siedział z nią w domu pod różami. Ucieszy się na pewno, gdy ją zobaczy i usłyszy, jaką długą drogę odbyła do niego, kiedy się dowie, jak martwili się wszyscy w domu, gdy on nie wrócił!

O, jakże się bała i cieszyła zarazem!

Oto weszli już na schody; na szafie paliła się mała lampa; pośrodku na podłodze stała oswojona wrona, kręciła głową na wszystkie strony i patrzała na Gerdę, która dygnęła tak, jak ją uczyła babcia.

– Mój narzeczony opowiadał mi tyle dobrego o pani, miła panieneczko! – powiedziała oswojona wrona. – Dzieje pani życia, jak to mówią, są również bardzo wzruszające. Niech pani weźmie lampę. Wtedy ja pójdę przodem. Gdy pójdziemy prosto przed siebie, to nie spotkamy nikogo!

– Wydaje mi się, że ktoś idzie tuż za nami! – powiedziała Gerda; rzeczywiście coś obok zaszeleściło; zupełnie jakby cienie prześlizgiwały się po ścianie, konie o rozwichrzonych grzywach i smukłych nogach, myśliwi, panowie i damy na koniach.

– To są tylko sny! – powiedziała wrona. – Przychodzą i zapraszają myśli księcia i księżniczki na polowanie; to dobrze, bo potem może im się pani w łóżku lepiej przyjrzeć. Ale spodziewam się, że kiedy pani dojdzie do zaszczytów i godności, okaże mi pani wdzięczność!

– To się samo przez się rozumie – wtrąciła druga wrona. Weszły do pierwszej sali o ścianach z różowego atłasu w kwiaty; obok nich zaszeleściły sny, ale przeleciały tak prędko, że Gerda nie zdążyła obejrzeć tego czcigodnego towarzystwa. Jedna sala była wspanialsza od drugiej; było tam co podziwiać.

Wreszcie znaleźli się w sypialni. Sufit przypominał wielką palmę, o liściach ze szkła, z kosztownego szkła, a pośrodku pokoju na grubym sznurze ze złota wisiały dwa łoża, każde wyglądało jak lilia; jedno było białe, leżała na nim księżniczka, drugie było czerwone i tam Gerda miała szukać małego Kaya. Uchyliła jeden czerwony płatek i zobaczyła brązową szyję. Tak, to był Kay! Krzyknęła głośno jego imię, trzymając lampę tuż nad nim – sny znowu wtargnęły konno do pokoju, książę obudził się, odwrócił głowę i... to nie był mały Kay. Miał tylko podobny do niego kark; był młody i piękny. Z łóżka, które wyglądało jak biała lilia, wyjrzała księżniczka i spytała, co się stało. Wtedy mała Gerda zapłakała i opowiedziała całą swoją historię i wszystko, co zrobiły dla niej wrony.

– Biedna dziewczynka! – powiedzieli książę i księżniczka, a potem pochwalili wrony, zapewnili je, że nie gniewają się wcale, ale żeby tego częściej nie robiły. Tym razem zostaną wynagrodzone.

– Czy chcecie latać na wolności – spytała księżniczka – czy wolicie mieć stałe miejsce jako dworskie wrony i korzystać ze wszystkich odpadków z kuchni?

Obie wrony dygnęły nisko i poprosiły o stałe miejsce; myślały o starości i powiedziały:

– To dobrze, kiedy człowiek – tak powiedziały – ma spokój na stare lata! Książę wstał z łóżka i ustąpił je Gerdzie, taki był dla niej dobry. Dziewczynka splotła swoje małe rączki i myślała: „I ludzie, i zwierzęta są dobrzy" – a potem zamknęła oczy i zasnęła słodko. Przyleciały znowu wszystkie sny w postaci aniołów, przyniosły małe sanki, na których siedział Kay i kiwał na nią; ale to był tylko sen i dlatego znikł, gdy tylko się obudziła.

Na drugi dzień ubrano ją od stóp do głów w jedwab i aksamit; pozwolono jej zostać w pałacu i spędzać przyjemnie czas, ale Gerda poprosiła, aby jej dali tylko wózek z koniem i parę małych trzewiczków, bo chciała jechać znowu w daleki świat odszukać Kaya.

Dostała i buciki, i mufkę; ubrano ją ślicznie, a kiedy miała odjechać, czekała na nią przed bramą kareta z czystego złota, herb księcia i księżniczki

błyszczał na drzwiczkach jak gwiazda, stangret, służba i forysie, gdyż byli tam także i forysie, mieli złote korony na głowie. Książę i księżniczka pomagali jej sami wsiąść do karety i życzyli wiele szczęścia. Leśna wrona, która właśnie pobrała się z oswojoną, odprowadziła Gerdę trzy mile; siedziała obok niej, bo nie znosiła jazdy tyłem do konia; druga wrona stała we wrotach i biła skrzydłami, nie odprowadzała Gerdy, bo cierpiała na bóle głowy, od czasu kiedy miała stałe miejsce i przejadała się. Kareta wysadzana była w środku obwarzankami z cukru, a siedzenie napchane było owocami i piernikami.

– Żegnaj, żegnaj! – wołali książę i księżniczka, a mała Gerda płakała i wrona także; tak przeszła pierwsza mila podróży. Potem i wrona musiała się pożegnać i to było najcięższe rozstanie. Pofrunęła na drzewo i trzepotała czarnymi skrzydłami, dopóki kareta, błyszcząca jak jasny promień słońca, nie zniknęła jej z oczu.

Opowiadanie piąte
Mała rozbójniczka

Jechali przez ciemny las, ale kareta błyszczała jak pochodnia; kłuło to rozbójników w oczy, nie mogli tego znieść.

- Złoto, złoto! - wołali, pchali się naprzód, schwycili konie za uzdy, zabili małych forysiów, stangreta i służących i wyciągnęli małą Gerdę z karety.

- Jest tłusta, śliczna i karmiona orzechami - powiedziała stara rozbójniczka, która miała długą, sterczącą brodę i brwi opadające na oczy.
- Jest taka smaczna jak małe, tłuste jagniątko, to dopiero będzie uczta! - I wyciągnęła nóż, który błysnął tak, że aż ciarki po ciele przeszły.

— Ach! — zawołała nagle stara; jej własna, mała, dzika i nieznośna córecz-
ka, którą niosła na plecach, ugryzła ją w ucho. — Ty przeklęty bachorze — zawołała matka i nie zdążyła zamordować Gerdy.

— Ona będzie się ze mną bawiła — powiedziała mała rozbójniczka. — Niech
mi odda swoją mufkę i śliczną sukienkę i niech śpi ze mną w łóżku. —
I ugryzła matkę parę razy tak, że żona rozbójnika aż skoczyła do góry i zaczę-

ła się kręcić w kółko; wszyscy rozbójnicy śmiali się i mówili:

– Patrzcie, jak to tańczy ze swym bachorem!

– Ja chcę siedzieć w karecie – powiedziała mała rozbójniczka. Chciała i musiała postawić na swoim, bo była rozpieszczona i uparta. Usiadła obok Gerdy w karecie i potem pojechały przez pnie i krzaki coraz głębiej w las. Mała rozbójniczka była taka duża jak Gerda, ale silniejsza, o szerszych ramionach i ciemniejszej cerze. Jej oczy były czarne i patrzały prawie smutno. Objęła ramieniem małą Gerdę i powiedziała:

– Nie powinni cię zabijać, dopóki się na ciebie nie pogniewam. Jesteś pewnie księżniczką?

– Nie – odrzekła mała Gerda i opowiedziała jej wszystko, co przeżyła, i jak bardzo kocha małego Kaya.

Córka rozbójników patrzała na nią zupełnie poważnie, pokiwała trochę głową i odezwała się:

– Nie powinni cię zabijać, nawet gdybym była na ciebie zła; sama to wtedy zrobię! – Otarła Gerdzie oczy i włożyła obie swoje ręce do ślicznej mufki, która była taka ciepła i miękka. Wtem kareta się zatrzymała; znajdowali się w środku podwórza starego zbójeckiego zamku, był on pęknięty od góry do dołu. Kruki i wrony wyfruwały z otwartych szczelin, a wielkie buldogi, które wyglądały tak, jakby miały połknąć człowieka, skakały wysoko do góry, ale nie szczekały, bo to było zabronione.

W wielkiej, starej, zadymionej sali palił się na środku kamiennej podłogi duży ogień, dym wznosił się aż do sufitu i musiał sobie sam szukać wyjścia; gotował się duży kocioł z zupą, a na rożnie piekły się zające i króliki.

– Musisz przespać się w nocy tu, obok mnie, razem ze wszystkimi moimi zwierzątkami – powiedziała mała rozbójniczka.

Dano im jeść i pić i poszły potem w kąt, gdzie leżała słoma i koce. Wysoko na żerdziach i belkach siedziało prawie sto gołębi, zdawało się, że śpią, ale gdy obie dziewczynki weszły, poruszyły się trochę.

– Wszystkie są moje – powiedziała mała rozbójniczka i schwyciła prędko jednego z najbliżej siedzących gołębi. Złapała go za nogę i potrząsnęła nim tak, że zatrzepotał skrzydłami. – Pocałuj go! – zawołała i uderzyła Gerdę ptakiem po twarzy. – Tam siedzą leśne dzikusy – mówiła dalej i pokazała cały szereg żelaznych prętów, wbitych wysoko w murze, nad otworem. – Musimy ich pilnować, to są kanalie z lasu, uciekają, gdy tylko nie są dobrze zamknięte, a tutaj stoi mój stary, kochany Ba. – I przyciągnęła za rogi rena; naokoło szyi miał błyszczący miedziany pierścień i był przywiązany. – Tego

też musimy trzymać na uwięzi, bo inaczej by uciekł. Co wieczór łechcę go w szyję moim ostrym nożem, bo się tego bardzo boi. – I dziewczynka wyciągnęła długi nóż ze szpary w murze i przesunęła go po szyi rena; biedne zwierzę kopało tylnymi nogami, a mała rozbójniczka śmiała się i wciągnęła Gerdę do łóżka.

– Czy będziesz miała nóż przy sobie w czasie snu? – spytała Gerda i spojrzała z przestrachem na nóż.

– Ja zawsze śpię z nożem – powiedziała mała rozbójniczka. – Nigdy nie wiadomo, co się może przytrafić. Ale powtórz jeszcze raz to, co mi opowiadałaś o małym Kayu, i dlaczego poszłaś w daleki świat. – I Gerda opowiedziała od początku, a dzikie gołębie w klatce gruchały, inne gołębie spały. Mała rozbójniczka objęła ramieniem Gerdę za szyję, w drugiej ręce trzymała nóż i zasnęła, tak że było słychać jej oddech; ale Gerda nie mogła zamknąć oczu, nie wiedziała, czy będzie żyła, czy też umrze. Rozbójnicy siedzieli naokoło ognia, śpiewali i pili, a żona rozbójnika fikała koziołki. O, jakże strasznie było małej dziewczynce na to patrzeć!

Wtem gołębie leśne powiedziały:

– Gurr, grr! Widziałyśmy małego Kaya. Biała kura niosła saneczki, on siedział w saniach Królowej Śniegu, które unosiły się nad lasem, podczas gdy my siedziałyśmy w naszym gnieździe; dmuchnęła na nas i prócz nas dwóch umarły wszystkie pisklęta. Grr, grr!

– Co wy tam w górze mówicie? – zawołała Gerda. – Dokąd pojechała Królowa Śniegu? Czy wiecie coś o tym?

– Pewnie pojechała do Laponii, bo tam jest zawsze śnieg i lód. Spytaj rena, co stoi na postronku.

– Tam jest lód i śnieg, tam jest dobrze i pięknie – powiedział ren. – Skacze się swobodnie po wielkich, błyszczących dolinach. Królowa Śniegu ma tam swój letni namiot, ale jej stary zamek stoi wysoko nad biegunem północnym, na wyspie, która się nazywa Szpicberg!

– Ach, Kay, kochany Kay! – westchnęła Gerda.

– Leż teraz spokojnie – powiedziała mała rozbójniczka – inaczej zakłuję cię nożem!

Rano opowiedziała jej Gerda wszystko, co mówiły dzikie gołębie, a mała rozbójniczka słuchała uważnie, ale potem pokręciła głową i powiedziała:

– Właśnie! Właśnie! Czy wiesz, gdzie leży Laponia? – spytała rena.

– Któż ma lepiej wiedzieć ode mnie? – powiedziało zwierzę, a oczy mu zabłysły. – Tam się urodziłem i wyrosłem, tam skakałem po polach.

– Słuchaj no! – powiedziała mała rozbójniczka do Gerdy. – Widzisz, że wszyscy nasi mężczyźni już wyszli, ale matka jest jeszcze tutaj i zostanie; później, rano, pije zawsze z dużej butelki i ucina sobie drzemkę; wtedy będę mogła coś zrobić dla ciebie! – Wyskoczyła z łóżka, rzuciła się matce na szyję, skubnęła ją w brodę i powiedziała: – Mój najsłodszy koziołku, dzień dobry! – A matka dała jej szczutka w nos, tak że jej nos poczerwieniał i posiniał, ale to wszystko jedynie z miłości.

Kiedy potem matka napiła się z dużej flaszki i ucięła sobie drzemkę, mała rozbójniczka zbliżyła się do rena i powiedziała:

– Miałabym straszną ochotę połechtać cię jeszcze kilka razy ostrym nożem, bo jesteś taki zabawny, ale trudno, odwiążę twój sznur i pomogę ci dostać się do Laponii, tylko nie wolno ci oszczędzać nóg, musisz zaprowadzić tę małą dziewczynkę do pałacu Królowej Śniegu, gdzie jest jej towarzysz zabaw. Słyszałeś pewnie to, co ona opowiadała, bo mówiła dosyć głośno, a ty zawsze podsłuchujesz!

Ren wysoko podskoczył z radości. Dziewczynka rozbójników podniosła do góry małą Gerdę i była na tyle przezorna, że ją mocno przywiązała, a nawet dała jej małą poduszeczkę, aby miała na czym siedzieć.

– Właśnie! – powiedziała. – Masz z powrotem twoje futrzane trzewiki, bo będzie ci zimno, ale mufkę zatrzymam sobie, bo jest za ładna! Chyba nie zmarzniesz! Masz tu wielkie rękawice mojej matki, sięgają aż do łokci; kładź je! Twoje ręce wyglądają teraz jak ręce mojej wstrętnej matki!

A Gerda płakała z radości.

– Nie mogę znieść tego, że beczysz! – powiedziała mała rozbójniczka. – Teraz właśnie powinnaś mieć zadowoloną minę! Masz tu dwa bochenki chleba i szynkę, nie będziesz głodna!

Wszystkie zapasy przywiązano renowi za siodłem; mała rozbójniczka otworzyła drzwi, zawołała do środka wszystkie wielkie psy, potem przecięła nożem postronek i powiedziała do rena:

– Teraz pędź, ale uważaj na dziewczynkę!

A Gerda wyciągnęła ręce w wielkich rękawicach do małej dziewczynki rozbójników i powiedziała:

– Do widzenia – a potem ren puścił się przez krzaki i kamienie, przez wielki las, przez błota i stepy tak prędko, jak tylko mógł. Wilki wyły, a kruki krakały.

– Fut, fut! – dźwięczało w powietrzu. Brzmiało to tak, jakby ktoś pluł czerwonym ogniem.

– To moja stara zorza północna! – powiedział ren. – Patrz, jak błyszczy! – I potem biegł jeszcze prędzej, coraz dalej, dniem i nocą; Gerda zjadła chleby, szynkę także, i już byli w Laponii.

Opowiadanie szóste
Laponka i Finka

Zatrzymali się przed małym, bardzo nędznym domkiem; dach pochylał się aż do ziemi, a drzwi były takie niskie, że mieszkańcy musieli pełzać na czworakach, chcąc wejść lub wyjść. W domu nie było nikogo prócz starej Laponki, która, stojąc przy lampie z tranu, smażyła rybę. Ren opowiedział całą historię Gerdy, ale najpierw swoją własną, bo uważał, że ta jest o wiele ważniejsza, a Gerda była tak zmarznięta, że nie mogła wcale mówić.

– Ach, wy biedacy! – powiedziała Laponka. – Macie jeszcze daleką drogę przed sobą. Musicie przebiec jeszcze przeszło sto mil równiną Finmarku, aż tam, gdzie rozsiadła się Królowa Śniegu i puszcza co wieczór bengalskie ognie. Napiszę parę słów na wysuszonym dorszu, nie mam papieru, a chcę napisać do Finki, tam na Północy, ona da wam lepsze wskazówki niż ja!

Kiedy Gerda ogrzała się, najadła i napiła, Laponka napisała na wysuszonym dorszu parę słów, kazała Gerdzie dobrze tego pilnować, przywiązała ją znowu do rena, który popędził razem z nią. „Fut, fut!" – zabrzmiało wysoko w powietrzu, przez całą noc płonęła najpiękniejsza niebieska zorza polarna i potem przyjechali do Finmarku, i zapukali do komina Finki, bo w chacie nie było nawet drzwi wejściowych.

Wewnątrz był tak straszny upał, że Finka sama chodziła prawie zupełnie nago; była mała i bardzo brudna; zaraz rozebrała małą Gerdę, zdjęła z niej rękawice i buciki, aby nie było jej za gorąco; renowi położyła na głowie kawałek lodu i potem przeczytała to, co było napisane na skórze dorsza; przeczytała trzy razy, tak że nauczyła się tego na pamięć, i wrzuciła rybę do gotującego się garnka, bo nadawała się do jedzenia, a ona nigdy niczego nie marnowała.

Ren opowiedział jej najpierw swoją historię, a potem dzieje małej Gerdy, a Finka błyskała mądrymi oczami, ale nic nie mówiła.

– Jesteś taka mądra! – powiedział ren. – Wiem, że potrafisz związać wszystkie wiatry świata jedną nitką; kiedy żeglarz rozplątuje jeden węzeł, wieje przyjazny wiatr, kiedy rozluźnia drugi, wieje ostry wicher, a kiedy rozwiązuje trzeci i czwarty, zrywa się taka burza, że lasy się przewracają. Czy zechciała-

byś dać małej dziewczynce do wypicia taki napój, aby zrobiła się silna jak dwunastu mężczyzn, aby zwyciężyła Królową Śniegu?

– Silna jak dwunastu mężczyzn? – zapytała Finka. – Na cóż to się może jej przydać? – Potem podeszła do łóżka, wzięła dużą, zwiniętą skórę i rozwinęła ją; były tam napisane dziwaczne litery. Finka zaczęła czytać, aż jej pot spływał z czoła.

Ale ren wstawiał się tak gorąco za małą Gerdą, a Gerda patrzała takimi błagalnymi, pełnymi łez oczami, że Finka zaczęła znowu błyskać spojrzeniem, zaciągnęła rena w kąt pokoju i szeptała coś, kładąc mu na głowę świeży lód.

– Mały Kay jest co prawda u Królowej Śniegu, ma tam wszystko, czego tylko dusza zapragnie, i jest pewien, że to najlepsze miejsce na świecie, ale dzieje się to dlatego, że ma w sercu odłamek szkła i okruszynę szkła w oku; trzeba mu to wyjąć, inaczej nie stanie się nigdy prawdziwym człowiekiem, i Królowa Śniegu zachowa nad nim swą moc.

– Ale czy nie mogłabyś dać małej Gerdzie czegoś takiego, żeby stała się mocniejsza od wszystkich?

– Nie mogę jej użyczyć więcej mocy od tej, którą posiada. Czyż nie widzisz, jaka jest potężna? Czy nie widzisz, jak jej muszą służyć ludzie i zwierzęta, jak udało jej się przejść przez świat na bosych nóżkach? Nie powinna myśleć, że to myśmy użyczyli jej tej potęgi, ona tkwi w jej sercu, pochodzi stąd, że Gerda jest dobrym, niewinnym dzieckiem. Skoro jej samej nie uda się dostać do Królowej Śniegu i uwolnić Kaya od odłamków szkła, to my jej nic

nie pomożemy. O dwie mile stąd zaczyna się ogród Królowej Śniegu, tam możesz zanieść małą dziewczynkę; posadź ją na śniegu koło wielkiego krzaka pełnego czerwonych jagód; nie marudź długo, tylko pośpiesz się i wróć tu znowu. – Potem Finka uniosła małą Gerdę, posadziła ją na grzbiecie rena, a ren popędził, jak tylko mógł najprędzej.

– Ach, nie zabrałam moich trzewików, nie mam rękawic! – zawołała mała Gerda; spostrzegła to, bo było przeraźliwie zimno, ale ren nie odważył się zatrzymać, pędził, aż przybiegł do dużego krzaka z czerwonymi jagodami; tam posadził Gerdę, pocałował ją w usta, a wielkie, jasne łzy popłynęły z oczu po policzkach zwierzęcia; potem pobiegł z powrotem tak prędko, jak tylko mogły go unieść nogi. A mała Gerda stała bez trzewików i bez rękawiczek pośrodku straszliwego, lodowato zimnego pola Finmarku.

Biegła przed siebie, jak tylko mogła najszybciej; nagle nadciągnął cały pułk śnieżnych płatków; ale nie padały z nieba, niebo było zupełnie jasne i błyszczące od zorzy północnej; płatki śniegu biegły tuż przy ziemi i im się bardziej zbliżały, tym były większe. Gerda pamiętała jeszcze, jakie wielkie i kunsztowne wydawały jej się płatki wtedy, gdy je oglądała przez szkło powiększające, ale tu były jeszcze o wiele większe i bardziej przerażające; były żywe, stanowiły przednią straż Królowej Śniegu; miały najdziwniejsze kształty; niektóre wyglądały jak szkaradne, wielkie jeżozwierze, inne jak sploty wężów, wysuwających głowy, a znowu inne – jak małe, grube niedźwiedzie o nastroszonej sierści; wszystkie były oślepiająco białe, wszystkie były żywymi płatkami śniegu.

Mała Gerda zmówiła „Ojcze nasz"; a mróz był tak wielki, że widziała swój własny oddech; parował z jej ust jak gęsty dym; oddech ten stawał się coraz gęstszy i gęstszy i ułożył się w kształt jasnych aniołów, które w miarę zbliżania się do ziemi, stawały się coraz większe; wszystkie miały na głowach hełmy, a w rękach dzidy i tarcze; było ich coraz więcej, i kiedy Gerda skończyła mówić „Ojcze nasz", stał naokoło niej cały legion; uderzały swymi mieczami w szkaradne płatki śniegu, tak że te rozpadały się na tysiączne kawałki, a mała Gerda szła pewnie i radośnie naprzód. Aniołki gładziły jej nogi i ręce; wtedy nie czuła wcale zimna i szła prędko naprzód do pałacu Królowej Śniegu.

A teraz zobaczymy, co się działo z Kayem. Nie myślał on wprawdzie o małej Gerdzie, a już najmniej o tym, że stała na dworze przed pałacem.

Opowiadanie siódme
Co się działo w pałacu królowej śniegu
i co się później stało

Ściany pałacu były zrobione ze śnieżnej zawiei, a okna i drzwi z ostrych wiatrów; było tam przeszło sto sal, zależnie od tego, jak zawiał śnieg; największa sala rozciągała się na wiele mil, wszystkie oświetlało silne światło zorzy polarnej; były wielkie, puste, lodowato zimne i błyszczące! Nie panowała tu nigdy radość, nie odbył się tu nawet ani razu balik niedźwiedzi, na którym mógłby zagrać wicher i gdzie by białe niedźwiedzie mogły chodzić na tylnych nogach i popisać się swoimi dobrymi manierami; nie było tu nigdy towarzyskich zabaw ani otwierania paszcz i bicia łapami; białe liście nie plotkowały tu nigdy przy herbatce; puste, wielkie i zimne były sale Królowej Śniegu. Zorza północna paliła się tak równomiernie, że można było według jej światła oznaczyć, kiedy znajdowała się na najwyższym punkcie, a kiedy na najniższym.

Pośrodku pustej, nieskończonej, śnieżnej sali leżało zamarznięte jezioro, które popękało na tysiące kawałków, ale jeden kawałek był podobny do drugiego, było to prawdziwe dzieło sztuki; pośrodku tego jeziora siadywała Królowa Śniegu, wtedy gdy była w domu, i wówczas mówiła, że siedzi na zwierciadle rozsądku i że to jest jedyne i najlepsze zwierciadło na świecie.

Mały Kay był zupełnie siny z mrozu, prawie czarny, ale nie spostrzegł tego wcale, gdyż Królowa Śniegu odjęła mu swym pocałunkiem wrażliwość na zimno, a jego serce stało się kawałkiem lodu. Chodził i zbierał płaskie, ostre kawałki lodu, które składał w ten sposób, aby coś z nich wyszło, zupełnie tak samo jak my, kiedy z kawałków drzewa składamy figury, co się nazywa chińską grą. Kay układał najkunsztowniejsze wzory, była to lodowa łamigłówka, w jego oczach figury te były nadzwyczajne i niezwykłej wagi, przyczyniał się do tego okruch szkła, który Kay miał w oku. Kay składał całe figury, które tworzyły napis, ale nie udawało mu się ułożyć słowa, na którym mu właśnie zależało. Słowem tym była „Wieczność", a Królowa Śniegu oświadczyła:

– Jeżeli uda ci się ułożyć to słowo, staniesz się zupełnie niezależny, podaruję ci cały świat i na dodatek parę nowych łyżew. – Ale Kay nie mógł w żaden sposób ułożyć tego właśnie słowa.

– Teraz pomknę sobie daleko, do ciepłych krajów – powiedziała Królowa Śniegu – chcę zajrzeć raz do tych czarnych garnków. – Miała na myśli góry ziejące ogniem, które się nazywają Etna i Wezuwiusz. – Pobielę je trochę. To im się należy, zresztą wyjdzie to na dobre cytrynom i winogronom! – I Królowa Śniegu odfrunęła, a Kay został zupełnie sam w olbrzymiej lodowej sali, przyglądał się kawałkom lodu i myślał, myślał, aż coś w nim zatrzeszczało, siedział zupełnie sztywno i cicho, mogło się zdawać, że zamarzł.

I wtedy właśnie mała Gerda weszła przez wielkie wrota do pałacu; wiały właśnie ostre wichry, ale dziewczynka odmówiła wieczorną modlitwę i wtedy wiatry ułożyły się, jak gdyby chciały spać, a dziewczynka weszła do wielkiej, pustej, zimnej sali. Zobaczyła Kaya, poznała go, rzuciła mu się na szyję, objęła go mocno i wołała:

– Kay, drogi, mały Kay! Nareszcie cię odnalazłam!

Ale on siedział zupełnie cicho, sztywny i zimny.

Wtedy zapłakała mała Gerda gorącymi łzami, które spłynęły na jego pierś, dostały się aż do jego serca, roztopiły kawałki lodu i wchłonęły okruszynę szkła; Kay spojrzał na nią, ona zaśpiewała mu pieśń:

Róża przekwita i minie,
Pójdź, pokłońmy się Dziecinie.

Wtedy Kay wybuchnął płaczem i odłamek szkła wypadł mu z oka, poznał Gerdę i zawołał radośnie:

– Gerdo, kochana, mała Gerdo! Gdzie byłaś tak długo? I gdzie ja byłem? – Rozejrzał się wokoło. – Jakże tu zimno! Jak pusto i rozlegle!

I przytulił się mocno do Gerdy, a ona śmiała się i płakała z radości; było to takie piękne, że nawet kawałki lodu zaczęły tańczyć z radości, a kiedy się zmęczyły i położyły, utworzyły właśnie te litery, o których mówiła Królowa Śniegu, że jeżeli Kay je ułoży, stanie się niezależnym panem, a ona podaruje mu cały świat i parę nowych łyżew.

Gerda pocałowała go w policzki, które zaróżowiły się; całowała jego oczy, które zabłysły tak jak jej oczy; całowała jego ręce i nogi, które stały się mocne i zdrowe. Gdyby Królowa Śniegu nawet teraz wróciła, to i tak słowo wyzwalające Kaya wypisane było błyszczącymi kawałkami lodu.

A oni wzięli się za ręce i wywędrowali z wielkiego pałacu, rozmawiali o babce i o różach kwitnących wysoko na dachu; wszędzie, gdzie przechodzili, układały się wiatry do spoczynku i układało się słońce; kiedy przyszli do krzaka z czerwonymi jagodami, stał tam ren i czekał; obok niego stał drugi młody ren, o pełnych wymionach, dał dzieciom ciepłego mleka i ucałował je. Potem reny zawiozły Gerdę i Kaya najpierw do Finki, gdzie ogrzali się w ciepłej izbie i otrzymali wskazówki na drogę powrotną, potem do Laponki, która uszyła im nowe ubrania i przygotowała swoje sanki do drogi.

Oba reny skakały obok sań i dotrzymywały im towarzystwa aż do granic kraju; kiełkowała tam pierwsza zieleń. Wtedy pożegnali się z renami i z Laponką.

– Bądźcie zdrowi! – powiedzieli wszyscy.

Pierwsze małe ptaszki zaczęły ćwierkać, drzewa miały zielone pączki i z lasu wyjechała na wspaniałym koniu, którego Gerda znała (był to jeden z koni zaprzęgniętych do złotej karety), dziewczynka w jaskrawoczerwonej czapeczce na głowie i z pistoletami za pasem; była to mała rozbójniczka, której znudziło się w domu i chciała pojechać na północ, a w razie gdyby jej się tam nie spodobało, wybrałaby się w innym kierunku.

Poznała od razu Gerdę i Gerda ją również poznała; ucieszyły się bardzo.

– Ładny z ciebie nicpoń, że się tak po świecie włóczysz – powiedziała do Kaya – chciałabym wiedzieć, czy zasługujesz na to, żeby z twojego powodu pędzić na koniec świata!

Ale Gerda pogłaskała ją po twarzy i spytała o księcia i księżniczkę.

– Pojechali do obcych krajów! – powiedziała rozbójniczka.

– A wrona? – spytała mała Gerda.

– Wrona umarła! – odpowiedziała dziewczynka. – Oswojona małżonka została wdową, nosi opaskę z czarnej krepy na nodze i skarży się żałośnie! Ale opowiedz lepiej, jak tobie się powiodło i jak go odnalazłaś!

Wtedy Gerda i Kay opowiedzieli wszystko.

– Ta-ra-ra, ta-ra-ra! – zawołała mała rozbójniczka, schwyciła oboje za ręce i obiecała, że jeżeli kiedyś będzie przejeżdżała przez ich miasto, przyjedzie do nich w odwiedziny; potem pojechała w daleki świat, a Kay i Gerda poszli, trzymając się za ręce, a gdy tak szli, zrobiła się cudna wiosna; wszystko kwitło i zieleniało; dzwony biły w kościołach i dzieci poznały wysokie wieże i wielkie miasto; było to miasto, w którym mieszkali; poszli przez ulice aż do drzwi babki, weszli na schody i znaleźli się w pokoju, gdzie wszystko stało na tym samym miejscu co dawniej, a zegar mówił: tik, tak! i wskazówki poruszały się, ale, przechodząc przez drzwi, spostrzegli, że byli już dorosłymi ludźmi. Róże w rynnie na dachu kwitły i zaglądały w otwarte okna – stały tam małe, dziecinne krzesełka; Kay i Gerda usiedli na nich i wzięli się za ręce; zapomnieli jak

o złym śnie o zimnej, pustej wspaniałości u Królowej Śniegu. Babka siedziała
w jasnym blasku słońca i czytała z Biblii: „A jeśli nie staniecie się jako dzieci,
nie osiągniecie Królestwa Bożego!".

A Kay i Gerda spojrzeli sobie w oczy i nagle zrozumieli starą pieśń:

Róża przekwita i minie,
Pójdź, pokłońmy się Dziecinie.

Siedzieli więc oboje, dorośli, a jednak dzieci, dzieci w sercach,
i było lato, gorące błogosławione lato.

Spis treści